JN118833

末木文美士

Sueki fumihiko

未来哲学双書

絶望でなく希望を

明日を生きるための哲学

未来哲学研究所

装丁＝矢部竜二
BowWow

目次

序章　コロナ／戦争／カルト

一　新型コロナウイルスと今日の問題

新型コロナウイルス感染症は短期間に想像をはるかに超える拡大で、世界中に大きな被害をもたらした。過去にも十四世紀ヨーロッパのペスト、百年前のスペイン風邪などが、世界に甚大な被害を及ぼしたが、今回のコロナは、それに輪をかけた深刻な被害をもたらし、その影響が尾を引いている。それは、今日の歴史的、社会的状況と密接に関連する。

最近十数年ほど、さまざまな自然災害が著しく深刻化している。二〇一一年に、東日本大震災が起こった。それは同時に原発のメルトダウンを引き起こし、いまだに解決しない多くの問題をもたらした。そのときは「想定外」という言葉で弁明されたが、その後、夏の異常高温、台風の強大化など、毎年のように「想定外」が発生し、「想定外」が必ず起こることを、まさに「想定」しなければならなくなっている。例えば今、首都直下型地震が発生したり、富士山の爆発が起こらないとは限らない。コロナの終息は、ずるずると「コロナとの共存」へと移りつつあるが、この先どんな事態が起こるか、それこそ誰にも「想定」できない。

自然災害の激化は、地球温暖化をはじめとする地球環境の悪化と密接に関わっている。マイクロプラスチックは海洋汚染だけでなく、人間の健康にも深刻な影響を及ぼす。そうした事態は、人災としての性格を強く持つ。人間の科学文明の発展が、かえって人間の住む世界を破壊していく。コロナは一見そうした動向と無関係に見えるが、ウイルスは抗生物質の多用に伴って進化し、毒性を強くする。それに加えて、世界中に張り巡らされた交通網が感染の広がりを容易にしている。やはり文明の発展に伴う人災的な面を無視できない。

チェルノブイリの原発事故のとき、設備や従業員の質の低いソ連だから起こったのだと、他人事と見ていたのが、同じことが日本でも発生した。コロナウイルスも、中国の衛生観念が遅れているから流行したなどという説も流れたが、先進国のはずの欧米でそれ以上に広がった。科学が進めば、災厄が減るわけではない。逆に災害は巨大化してきている。原発や遺伝子操作など、科学の進歩は一歩間違えば、とんでもない結果を招く。科学的合理性が人類の幸福をもたらすという、楽観的な進歩的歴史観はもはや通用しない。人類は再びバベルの塔を築こうとしてきたのではないか。そして、それが報復を招いているのではないか。

コロナ禍は同時に、世界的な経済的停滞を深刻なレベルで招き、その影響はどこまでおよび、どんな結末をもたらすのか想像すらできない。日本の戦後を振り返ると、高度成長が一九七〇年代に一段落した後、再びバブル景気に躍り、九〇年代以後の停滞を招いた。二〇一二年に登場した第二次安倍内閣は、アベノミクスと称して景気の浮揚に努めたが、思うような成果を上げられなかった。少子高齢化で、大きな経済発展は望めない状況にもかかわらず、打つ手はどれも、いわばカンフル注射のような無理を重ねることになった。最後にはオリンピックを頼みとしたのだが、それも次々と問題が生じ、ついに延期実施となった。しかも、その運営をめぐって次々とボロが出、ただ白けるだけの結果となった。皮肉なことに、コロナで世界中の経済活動が停滞したために、温暖化物質の排出が減少し、地球環境は改善されたという。つまり、通常の経済活動では、環境の悪化は止められないということでもある。

こうした状況に対して、それに対応できる新しい思想は形成されていない。一九八〇年代には、長い間主流であった近代的合理主義の限界が明らかにされ、九〇年代になると、冷戦の終結で、それまで大きな影響力を持っていたマルクス主義唯物論が後退した。だが、それに代わりうるだけの思想は存在しない。小泉純一郎首相の「自民党をぶっ壊す」や、安倍晋三首相の「戦後レジームからの脱却」の掛け声は勇ましいが、ぶっ壊したり、脱却したりした後どうなるのか、未来への展望があるわけではない。

放射能とウイルスは、どちらも目に見えず、それだけに恐ろしい。可視化でき、明晰に捉えられるものだけの存在を認めてきた近代の合理主義は、見えざるものの逆襲を受けている。しかも、ウイルスは生物と無生物の二分法が通用しない隙間的な存在だ。ウイルスとの戦いに勝つなどということはあり得ない。今ある程度、抑えられたとしても、またもっと力の強いウイルスが現われるであろう。見えざる他者としてのウイルスとどう付き合うか、ということが問題になる。ワクチンはウイルスを滅ぼすのではなく、ウイルスを無毒化して共存する手法なのだ。

見えざるものへの恐れは、近代思想が隠蔽してきた死や死者の問題を改めて呼び起こす。死んですべてが終わるのならば、死後この世界がどうなろうと構わないことになる。自分たちだけが利益を得ればいいというのだ。だが、そのつけを未来に回してよいのか。自らの死後のこの世界のことも、責任をもって考えなければいけないのではないか。死後も責任が続く死後責任、あるいは死者の責任ということは、今日の私たちに突きつけられた大きな問題である。

個人の問題だけではない。これまで問題にされてこなかったが、人類が滅びるということも、あり得ないことではない。というより、いずれいつかはそのような時がやってくるだろう。恐竜の絶滅のようなことが、人類にも起こるかもしれない。あるいは複合災害による日本沈没や、首都壊滅のような状況がないとは言えない。

もちろん、そんなことばかり考えていても始まらないが、個人が老齢化するのと同じように、人類もまた次第に高齢化状態へと進んでいるのではないか。それは決して否定的な意味だけではない。個人が老年に達したからと言って、暗いことばかりではなく、老後だからこその豊かさを味わうこともできる。ただ、若い頃のような体力任せの無理はきかない。それと同じように、人類もまた、強引で力ずくの闘争ではなく、文明の成果を共有しながら、持続可能な未来を構築していくべきではないのか。

仏教の世界観によれば、人類どころか、この宇宙もまた滅び、やがてまた生成されるという。そんな大きなスケールの世界観に思いをいたしながら、今の人類のあり方、個人のあり方を考え直すことも必要であるように思われる。

二 「悪は悪」なのか――ウクライナ問題に寄せて

1 思考の混乱

ロシアによるウクライナ侵攻は、私たちの思考を大きく混乱させた。大国として、世界の平和秩序を維持する上で大きな責任を持つはずの存在が、隣接する他国に攻め込み、あまつさえ無抵抗の住民を多数虐殺したというのである。もちろんベトナム戦争やイラク戦争のような例はあったけれども、大国によるこれだけ大規模な他国侵略と残虐行為は、第二次世界大戦以後なかったことであろう。

しかし、戦争(とロシアは認めていない)が長期化する中で、単純な善悪だけで判断できないさまざまな問題の絡んでくることが明らかになってきた。もともとウクライナのNATO接近に対するロシアの危機感が大きな動機になっていて、NATOや米国が直接参戦しないまでも、ウクライナに武器供与を含めた強力な援助をすることで、冷戦期の東西対立を引き継ぐ、新たな東西対立の様相を示してきた。冷戦期のイデオロギーの衣が剝《は》がされたことで、対立はそれだけ露骨に経済力や軍事力の、力のぶつかり合いとなっていく。そうした中で、国際連合を核とした第二次世界大戦後世界の平和維持の構想そのものが揺るがされている。

それは、国際政治や軍事上の問題にとどまらず、哲学や倫理・宗教などの領域にも大きな混乱を引き起こすことになった。平和とは、それほど脆《もろ》いものなのか。力ですべてを解決できるのか。それならば、人類の未来はどうなるのか。地球温暖化問題など、地球全体が危機に曝《さら》されている中で、もはやなすすべなく、無秩序と滅亡に身を任せる他ないのか。今回の問題が何とか収まったとしても、将来もっとひどい惨事が起こらないという保証はない。パンドラの箱は、一度あけたら元へは戻らない。事態はきわめて切実である。

2　悪は悪だということ

二〇二二年四月十二日の東京大学の入学式における河瀬直美氏の祝辞と、それに対する反応は、このような思考の混乱を如実に反映するものとなった。河瀬氏は、「ロシアという国を悪者にすることは簡単である」として、「悪を存在させることで安心していないだろうか？」と問題を提起した。それに対して批判の声が上がり、例えば池内恵氏は、「侵略戦争を悪と言えない大学なんて必要ないでしょう」と批判した。

それに関してまず言えることは、他国の領土に侵入し、民間人を虐殺したことには、一切弁明の余地はないということだ。「悪は悪である」のであって、どんな弁明も許されないはずだ。「ロシアの正義がウクライナの正義とぶつかった」（河瀬氏）というような認識が成り立つはずもない。例えば、ナチスであっても、日本による侵略であっても、それなりの理論は具えていたわけだし、そこには今でも耳を傾けるべき要素はある。大東亜共栄圏や近代の超克論は、それはそれで興味深いし、考えるべきところもある。しかし、だからと言って、「ナチスを悪者にするだけでは済まない」とか、「日本による侵略は、日本の論理が朝鮮・中国の論理とぶつかったからだ」などという議論が成り立つわけがない。悪は悪であり、そこに曖昧さがあるはずがない。

それは、個人の場合で考えれば、さらにはっきりするであろう。相模原の障害者施設での殺人の犯人も、「障害者を生かしておくことは社会的に害になる」と、その殺人を正当化する理論と信念を持っていた。それでも、そういう見方もあり得ると、認めてよいのだろうか。

あるいは、性犯罪を考えてもよい。被害者の側にも問題があったからだ、というような弁明は絶対に成り立たない。問答無用にダメなものはダメでしかない。もちろんその上で、それならば、どうしてそのような犯罪が起こったのかとか、犯罪を未然に防ぐにはどうすればよいかといった議論は十分に成り立つ。

国際関係においてもまったく同様である。他国への侵略や虐殺は、どんな理由があっても正当化されるはずがない。そこに曖昧な要素はない。国連総会において、ロシア非難の決議案に反対したのは、ベラルーシ、北朝鮮、エリトリア、ロシア、シリアの五カ国だけであった。ロシアと利害関係を持っていても、その他の多くの国がせいぜい棄権しかできず、正面から反対はできなかったことは、そのことを証している。

ただ、長期化する中で、「悪いものは悪い」という原則自体が曖昧化し、麻痺していくことになる。「現実的な解決」が原則に取って代わることになる。実際問題としてロシアの勝利に終わる可能性も十分に考えられる。個人の犯罪と異なり、国際関係の場では、悪が悪として断罪されるとは限らない。それでは、所詮、原則論などどうでもよいのであろうか。結局のところ、強いものが勝つだけであり、ナチスの復活でも何でも歓迎すべきことなのであろうか。ナチスを絶対悪とする根拠はあるのだろうか。それは深刻な問題である。

3 差異と対立

もちろん原則論を硬直した形で振りかざすだけでは何も始まらない。原則論を最大の問題として、そのことを前提とした上で、次の段階で考えるべき問題はあり得る。個人の犯罪においても、断罪するだけで終わらないのと同じである。それは単に国際関係のパワーバランスの問題だけでなく、その背景の思想的、文化的問題こそ、より大きな問題なのである。

国連のロシア非難の決議案に、西ヨーロッパの国はすべて賛成したのに対して、アジア、アフリカの中に棄権した国が少なくなかったことは、その背後の東西対立を予想させる。実際、その後の動きを見ていると、いわゆる「西側」に対して中国・インドなどの大国がロシア寄りの態度を明確に示すようになって、新たな東西対立の様相を強めている。

そこには、かつてのイデオロギー対立と異なり、剝き出しの政治的、軍事的対立や経済的利害関係が前面に出ているようだが、同時にはまた、文化的、思想的なズレが生じていることにも目を向けなければならない。西欧的価値観が普及する中で、その押しつけに対する違和感は、明確な理論となる以前に、民衆感情として伏在する。それを単純に、専制国家だから上意下達が成り立つとか、情報統制されて真実を知らされないから、などということで済ますわけにはいかない。民主対専制とか、先進的欧米対停滞的ロシアというような、露骨なプロパガンダが通用するわけがない。アジアの優等生日本も、それでは完全に西側陣営に取り込まれてよいのか、という素朴な疑問は、当然あってしかるべきものだ。

だからと言って、今度は西洋対東洋とか、西洋対非西洋というような、固定した二項対立論に落とし込んでいく危険もまた、十分に警戒しなければならない。長い間、西洋近代は普遍性を主張してきた。今日の人権や平和の理念は、多分に西洋近代において成立してきたものである。近代科学の普遍性と同じように、社会や国家の理念においてもまた、西洋近代は普遍的モデルを提供するものと考えられた。そして、それを認めないのは前近代の迷妄であり、啓蒙によってその迷妄を打破し、普遍的な理念を植えつけるのが西洋の使命と考えられた。それが帝国主義を正当化する論拠となった。非西欧地域は、それに抵抗しつつも受け入れざるを得ない受け身を強いられた。

今日、西洋の優位と普遍性の強要は揺らぎ、それに伴って、思想・文化上の単純な二元論もまた成り立たなくなっている。そもそも西側のトップを走っていたはずの米国で、西洋近代の価値観を否定するドナルド・トランプが大統領となったのであり、今後さらにその傾向が強まる可能性はないわけではない。西洋近代の価値観の普遍性が成り立たなくなり、理念なきポスト近代へと突入していく。

それに対して、国や文化には、それぞれ異なる発想があるのだから、その違いを尊重しなければならない、という見方が強くなっている。「みんな違って、みんないい」論である。もちろん、それぞれの個性は認めなければならない。しかし、だからと言って自己の利害だけが唯一の判断基準となり、そこに共通する価値観が失われるとしたら、それはきわめて危険なことではないだろうか。そうであれば、国連の決議も、単に多数国の利害が一致したというだけのことになってしまう。理念の問題ではなく、数と力の問題になる。温暖化対策にしても、したい国がすればよい。それを押しつけるのは、多数者の横暴だということになる。本当にそれでよいのだろうか。

二〇二一年一月に、国連の核兵器禁止条約が発効した。これはとても大きな意味のあることだ。核兵器が抑止力になるなどという世迷いごとが通用しないことは、今回のロシアの態度でも分かる。核の効用があるとすれば、それは脅しでしかないし、抑止どころか実際に使用される可能性も生まれた。核も、勝手に自分の国がしたいようにすればよいのであろうか。だが、人間の制御を超える核をどうするかは、利害だけの問題に留まらず、世界のあり方をめぐる、より本質的な理念の問題ではないだろうか。

西洋近代という普遍性が通用しなくなった今日、もはや理念の普遍性を根拠づけることは不可能となったようにも見える。しかし、力さえあれば、本当に何でもし放題なのであろうか。無抵抗の住民を虐殺しようが、核兵器を使おうが、すべて自由なのであろうか。「悪は悪」ということは、もはやあり得ないのだろうか。

否、誰が、何を、どれほど言いつのろうとも、「悪は悪」である。そのことは、利害を超えた普遍性を持つのでなければならない。「ウクライナの正義」と「ロシアの正義」だけでなく、「ウクライナもロシアも従わなければならない正義」がなければならない。しかし、そうではあるが、その根拠はどこにあるのであろうか。西洋近代の普遍性が消えた後で、それでもなお普遍的な倫理は根拠を持ちうるのであろうか。

三　「カルトと国家」から「国家のカルト化」へ

二〇二二年は、二月にロシアによるウクライナ侵攻が始まり、その出口の見えない泥沼の中にあるうちに、日本では、七月に安倍晋三元首相の銃殺事件が起こり、それをきっかけに、旧統一教会（世界平和統一家庭連合）の献金問題、自民党との癒着問題が、収拾のつかない広がりを見せることになった。

一見、ロシア対ウクライナ問題と旧統一教会問題とは無関係のようではあるが、そうではない。いずれもポスト近代の国家や社会の行き先を示すという点で共通している。近代的な発想では、政教分離によって宗教は政治から排除されるべきものと考えられた。というよりも、宗教などというものは所詮、近代化が進み、合理的な発想がなされるようになれば消滅するもので、それまで過去の遺物として残存しているだけだと、嘲笑の対象でしかなかった。その極端にマルクス主義の唯物論があった。

ところが、歴史はそのようには進まなかった。アラブ地域のイスラーム原理主義、アメリカのキリスト教原理主義の台頭は、宗教を過去の遺物としか見ない近代主義者や進歩主義者にとっては説明不能の不可解な現象であった。当初は歴史の流れの一時的な停滞や逆転であり、再び近代化の方向に戻るとも見られていた。しかし、そのような近代主義者、進歩主義者の甘い楽観論は完全に裏切られ、かえって原理主義的宗教は、世界の行く先を示すものとして定着した。逆に、進歩主義のモデルであったマルクス主義国家の方が崩壊することになった。

日本国内を見ると、一九七〇年頃までは左翼系の労働運動、学生運動などが主流であり、大衆動員により、一時期は革命近しの幻想さえ抱かせた。その中で、創価学会などの新宗教は、左翼運動から零れ落ちる学生や中下層の都市生活者を取り込むという方法で勢力を伸ばした。しかし、そのような大衆動員型の運動は、一九七〇年前後の全共闘の過激化、暴力化により、孤立して自滅した。

旧統一教会は、その頃から原理運動として学生などに浸透し、勝共連合による反共主義の運動として知られていたが、その活動が活発化するのは一九八〇年代で、霊感商法や合同結婚式で社会的な注目を浴びるようになった。オウム真理教などとともに、新霊性運動とか新新宗教と呼ばれるようなカルト的教団として、前代の大衆動員型の宗教と区別される。必ずしも信者数は多くなくても、内部のみで通用する独自の価値観の共有によって、強力な行動力を発揮することになる。それは世界的な原理主義の台頭とも合致するもので、ポスト近代的な動向として注目される。

このように宗教がカルト化して政治と結びつくとともに、ここでもう一つ注目されるのは、政治そのものがカルト化することである。その典型はアメリカのドナルド・トランプ前大統領に見られる。もっとも過激なトランプ信者はQアノンの陰謀論をそのまま信じ、それがインターネットを介して広まり、連邦議会議事堂襲撃の中核となった。そこまでいかないまでも、民主党による大統領選挙不正が行われたという言説は、共和党支持者の中にはかなり広まり、いわばトランプ派の信仰箇条のような役割を果たすことになった。

日本では、安倍晋三の信奉者は、従来の保守層とは異なり、一種のカルト的集団と言ってよいところがある。ネット右翼（ネトウヨ）と呼ばれる熱狂的な支持層によって支えられ、また従来の知識人的な言論人とまったく異なる種類のアジテーター的な発言者が、彼らのために特化された雑誌を通して宣教者としての役割を果たした。その結果、安倍チルドレンと呼ばれる大量の若手議員を擁するに至った。それは従来の保守主義が近代的、合理的な価値観を前提とするのとまったく異なっている。新しいタイプの政治集団であり、ポスト近代的な方向を示すものと言える。

このような新しいタイプのポスト近代的な政治家の出現は、決して一時的な現象とは言えない。逆に一時的に後退したとしても、かえって今後、次第に強力化して、支持を集めるようになり、従来型のリベラルな進歩主義や保守主義に代わって、多くの国を支配することになるであろう。

そのような動向と、中国やロシアが進める強力な専制化、並びに異なる価値観を排除した厳しい統制とは、直ちに同一視できないものの、近い性格を持っている。重要なことは、中国やロシアも決して民主的でないとは言えず、国民の支持なしに上からの専制を強制しているわけではないということである。むしろ民主的な手続きを経て、国民の同意のもとにもっとも望ましい政体として専制が選ばれているのである。そもそもが、共産主義国家の建前はプロレタリア独裁であり、それが近代のブルジョア民主主義を超えるポスト近代の国家のあり方と考えられた。しかし、ある階級が独裁するということは抽象論に過ぎず、実質的には個人としてのスターリンの独裁となり、毛沢東の独裁となった。その過去の経験が洗練されることで、今日復活してきている。その傾向は今後も続くであろう。

四　普遍が消えた後で

ポスト近代の方向として、国家が個人崇拝的なカルトと化していくという方向を、右に描いてみた。これだとまったくお先真っ暗なディストピアしかありえないことになってしまいそうだ。けれども、もちろんこれは一つの極端なシミュレーションであり、歴史的必然として必ずこのような方向にいくと決まっているわけではない。もしそれが唯一の未来であるとするならば、それは硬直した歴史決定論になってしまうだろう。

実際の歴史はもっと流動的で、さまざまな要因が複合し、一義的に決定されることはあり得ない。その際、歴史は唯物論的に物質的要因だけで決まるわけではない、ということは確認しておく必要がある。人間がすべてを自分で決め、歴史を作ることができるというのは、もちろん幻想に過ぎないが、しかし、人間の意図がまったく無力というわけでもない。外的条件と主体の意図とは絡みながら進んでいく。このことは、決して大きな国家単位の問題に限らない。もっと身近で日常的な場で考えれば、さらによく分かるであろう。私たちの生活は何でも思い通りにいくわけではないが、だからと言って、目標と努力を欠いては何もできない。その小さなことを積み上げる中から歴史は作られていく。

それでは、具体的にどのような方向性や目標が設定され得るのであろうか。もちろんそれはいろいろあり得るが、だからと言って、「みんな違って、みんないい」論に陥るのでは、単にバラバラになるだけで、ウクライナの正義、ロシアの正義もみんな認めましょうということになってしまう。それならば、最初に提起した普遍性の問題はどうなってしまうのか。

普遍性は否定されるのか。それでは、「悪は悪」と言えないことになってしまう。アナーキーな何でもありを押し止める原理はあるのであろうか。

まず重要なことは、西洋近代哲学の理念を基礎にした普遍性はもう成り立たないことを、はっきりと認識することである。人権、平和、自由、平等などの理念が西洋近代から生まれ、普遍的に目指すべき目標とされた。だが、その西洋近代を確立したとされるフランス革命は、じつは暴力と混乱の連鎖であった。その西洋近代の落とし子であるマルクス主義の暴力革命論が、どのような悲惨を招いたかは、改めて言うまでもない。近代啓蒙は、これらの理念が人類に共通の理性に基づくとしてその普遍性を主張したが、実際は西洋・白人・男性・健常者・成人がモデルであり、到底普遍的とは言えないことも明らかになっている。

それでは、これらの理念はもう成り立たないのだろうか。実際、今の世界を見てみれば、もはやそのような理念が成り立たないポスト近代に突入している。しかし、だからと言って、ポスト近代をすべての理想が消え去ったディストピア的世界と言うことは早計である。私たちはこれまで、西洋近代に頼り過ぎていなかったか。それがすべてと考えるから、その理念が消えれば、あとは何も残らないことになってしまう。しかし、西洋近代がすべてではない。他の可能性があるはずだ。

ここで視点を変えて、宗教の普遍性ということを考えてみよう。一九六二―六五年の第二バチカン公会議によって、カトリックが他宗教を認め、共存することになったと言われる。また、現実問題として、今日、多宗教が併存して宗教多元論が成り立っていると言うこともできるだろう。だが、どのような多元論をとったとしても、それぞれの宗教が世界宗教たりうるのは、一部の人を救うだけでなく、普遍的にすべての人に関わることを主張するところにその根拠を置く。例えば、キリストの磔刑《たっけい》は人類全体を救ったのだし、「悉有仏性《しつうぶっしょう》」と言うときには、仏教信者以外が除外されるわけではない。ユダヤ教のように一民族のみに関わるかのように見えても、天地創造はこの世界全体に関わるものであるし、ユダヤ人の使命は全人類において初めて意味を持つ。

相互に普遍性を主張する宗教が、本当に共存し得るのだろうか。それらは排他的で相互に否定関係にあるのではないだろうか。にもかかわらず、共存が可能なのは、単に相互に妥協しているからなのだろうか。そうではなく、もし共存可能性がそれぞれの宗教の本質に組み込まれているとしたら、それはどう考えたらよいのであろうか。

神智学では、人類のさまざまな宗教や哲学は、みな同一の源泉を持っていて、それ故、今日では多様に分かれていても、その根底は共通しているのだ、と主張する。それは、キリスト教の優越が信じられていた時代に、驚嘆すべき主張であった。そのもともとの同一の源泉は、今の人類以前の過去の人類に由来するというので、そのあたりになるといささか眉唾《まゆつば》になるが、ただ、根源における諸宗教の同一性という考えは、それほどおかしいとは言えない。ヒトが基本的に同じ身心構造を持っているのであれば、その基本的な発想が同一だとしても不思議ではない。一八九三年のシカゴ万国宗教会議で、インドのヴィヴェーカーナンダは、あらゆる宗教の教えは一つに帰着すると演説して喝采を浴びた。

だがまた、それほど簡単にすべてが同一性に帰するかというと、やはりそうはいかないだろう。バベルの塔崩壊以前ならばともかくも、今日、言語の差異、思考の差異、宗教の差異を無化できるというのは、おとぎ話に過ぎないし、逆にすべてが同一化できるとしたら、それは人間のクローン化という、恐るべき逆ユートピアになってしまう。

異なる他者の存在を認めつつ、それでも排他的にではなく、それぞれの宗教の普遍性を主張することはあり得るであろうか。キリスト教の側でも仏教の側でも、それぞれの普遍性を主張しながら、それが相互排除にならず、共存し得るとしたら、どのようになるのであろうか。もしそれが成り立つとすれば、それぞれの宗教はその普遍性をもって他者の奥底に入り込み、相互に他者との境界を突破することも可能かもしれない。だがそこには、本当に「悪は悪」と断定できる根拠が見出されるだろうか。近代の普遍が消えた後に、どこに新しい指針を求めたらよいのであろうか。

本書は、直ちにその結論を出そうとするわけではない。しかし、近代の後で、ただ世界が崩壊に向かうのではなく、別の可能性を見出せるのではないかという希望を捨てずに、私なりの模索を続けつつある、その中間報告である。

I

生き方の模索

――死者とともに

第一章　鬱の時代をどう生きるか

一　鬱の時代⁉

ある時代を精神病理学的な言葉で表現するのがよいのかどうか、私は正直言って、かなり疑問に思っている。たしかに今日、鬱病はどこにでもあり、誰でもかかる病気になった。身辺を見回しても、一度も精神科医にかからない人のほうが珍しいくらいだ。私自身、ずっとその際どいところをふらふらしながら歩いてきた。学校カウンセラーをしている方にうかがうと、鬱の低年齢化は加速度的に進んでいて、早手回しに対処していかないと、大事になるケースが多いという。

だが、だからと言って時代を「鬱」で特徴づけてしまうことがよいかというと、そうは簡単に言えないだろう。そもそも時代を精神病理学的な言葉で表わすこと自体が、じつはきわめて時代的な特徴であり、それほど当然視できることではない。一時代前ならば、時代は政治の言葉で語られるのが常識だった。

戦後という時代は、ずっと政治への希望と怒りの中に動いてきた。戦後の復興期から六〇年安保闘争にかけて、政治を改革すれば誰もが幸福な社会を実現できるという理想に満ちていた。それは希望の時代であり、若者の時代であった。社会は進歩して、平和であり、自由・平等へと向かうはずだ。だから、それを妨げる反動政治には激しい怒りが爆発した。悪いのは政治であり、政治を変えればすべてはよくなる、というのが合い言葉であった。

六〇年安保は、その理想主義的、進歩主義的な政治運動が挫折した大きな事件であった。しかし、それは必ずしも時代の転換点とは呼べない。学生や知識人の運動はさらに過激化して、七〇年前後の全共闘運動へと向かう。一九七〇年三月三十一日、羽田発福岡行きの日本航空機愛称「よど号」がハイジャックされ、田宮高麿《たかまろ》をリーダーとする赤軍派は、飛行機を北朝鮮へ向かわせた。労働者の国、北朝鮮は、人々の平等を実現した理想の社会にもっとも近い進んだ国と考えられていた。彼らは「あしたのジョー」を気取り、未来へ向けての出発のはずであった。だが、現実はどうであったか。彼らは「過激派」として社会から浮き上がり、封殺されることになった。一九七二年の浅間山荘事件はその追い詰められた袋小路の先であり、日本赤軍のテロは最後の花火であった。

七〇年代後半、八〇年代の奇妙な空白を経て、九〇年代に至って、一気に世界が動き出す。一九九〇年に東西ドイツの統一がなり、九一年にはソビエト連邦が解体してしまう。社会主義体制の崩壊は、これまでの価値観を一変させた。いろいろと批判されても、社会主義国があってはじめて、資本主義を超えた未来の理想社会の実現可能性が証明される。それが失敗したとなれば、いくら今の政治を批判しても、それを倒した先のヴィジョンが見えなくなってしまう。理想主義は理想実現が可能であってはじめて説得力を持つ。その可能性が失われることで、急速に左翼系の進歩主義が退潮し、五十五年体制が終わるとともに、九六年には日本社会党がその活動の幕を閉じた。

政治の季節の終わりは、社会の閉塞状況を一気に強めることになった。理想社会の実現へ向かっての希望はもはやなくなった。それならば一体、何を目指したらいいのか。これまでは、不満があれば社会の責任に帰して、悪い政治を倒せばよくなると、そのはけ口が与えられていた。六〇年前後のデモや、七〇年前後のゲバ棒は、若者にとっての格好の不満解消の道であった。それが無くなったとき、不満は自分の内側に向かうより他なくなった。政治の時代は心の時代に転換する。悪いのは社会ではなく、歪んだ自分の心だ。精神病理の時代の開幕だ。

オウム真理教信者の、ヘッドギアをつけた奇怪なまでの内面への沈潜は、一九九五年の地下鉄サリン事件で終局を迎えた。反社会的テロという点では、赤軍派と変わらないように見えながら、そこには百八十度の転換がある。赤軍派は戦後左翼運動の行き着いた先であり、過激化はしてもその根底の革命の理想は必ずしもそれまでの左翼運動と異質のものではなかった。ところが、オウム真理教のテロの理念には、もはや社会の一般常識と通底するところはない。閉ざされた内面に籠もり、自分で自分の底に穴を開け、落ち込んだとでも言うより他はない。

犯罪も変わった。一九六八年の連続射殺事件で翌年逮捕された永山則夫《のりお》は、獄中でマルクスを猛勉強して、自らの犯罪が貧困のゆえの無知に由来するという確信に達した。犯罪は心の問題ではなく、社会の問題なのだ。社会主義社会が実現すれば、犯罪もなくなるはずだ。今日ならば、自己中心の病理現象とも分類されるであろう主張が、当時は共感をもって迎えられた。ところが、一九八八―八九年の連続幼女殺人事件の宮崎勤《つとむ》から九七年の「酒鬼薔薇」

事件の少年に至ると、閉ざされた暗い心の闇がクローズアップされるようになる。犯罪の理由は社会にではなく、心に求められる。

閉塞状況は、二十一世紀に入ってますます進む。少子高齢化に伴う若者の負担増、就職難、年金破綻、何をとっても明るい材料はない。おまけに地球環境の悪化にも歯止めはなく、地球上の人類社会の終末の予測が俄然現実味を帯びてきた。希望を持てず、閉じこもり、無気力化したとしても、仕方ないではないか。「小泉改革」による弱肉強食の戦国状況は、その総仕上げとなった。

二十一世紀に入って、もし少し変わったところがあるとすれば、閉塞状況が恒常化して、激しい痛みはなくなったものの、鈍痛が持続するような状態になったということだろう。こうして「鬱的時代」と言えば言えなくもないような状況が形成される。「宇宙人」鳩山由紀夫の「友愛」のメッセージが少しだけ癒しの幻想を与えてくれたかもしれないが、たちまち化けの皮がはがされた。そして、安倍晋三によるポスト近代国家の幕開けへとつながってゆくことになった。

二　見えざる他者へ

　私は一九六九年に大学に入り、全共闘運動にはついていけないままに、後ろめたい思いを抱いて自分の殻に閉じこもった。いや、もっと子供の頃から、自分と世界との隔絶感に苦しんできた。殻に閉じこもるというよりも、はじめから殻の中に閉じこめられて、外の世界に出られずにもがいていた。だから、対人関係に悩まなくてよい、古典の文献世界に没頭した。それしかできることはなかった。そんな自分を理解してもらえる異性に出会えたことは、奇跡的に不思議なことだ。その上、職が得られて生活が成り立ち、自殺しないで退職まで過ごせたということは、宝くじに当たるよりももっと確率の低い、ほとんどありえないこととしか言いようがない。ありがたいというよりも、申し訳ないことだ。

　九〇年代の終わり頃になって、少しだけ社会への関心が戻ってきた。学生時代以来のことだ。そのとき驚いたのは、不思議なことに世の中がずっとわかりやすく、風通しがよくなっていたことだ。七〇年代以後、私はいつも社会意識が低いと非難され続けてきた。社会の進歩などということがさっぱり分からず、唯物史観にもついていけないことに、いつもコンプレックスを持ち続け、理解できない自分の無能を責めていた。

ところが、九〇年代終わりになって世間を見渡すと、もうそのような世界観を振り回す人はいなくなっていた。そして、けっこう私と同じような人間がいることに気がついた。オウム真理教信者には共感できなかったが、酒鬼薔薇少年の孤独はなぜか親しく、共感できるようだった。危ないところで私はそこまで行かなかっただけのことだ。リストカッターとして一九九九年に十八歳で死に至った南条あやに激しく入れこんだりした。やっぱり生きにくい。でも、生きにくい人たちが他にもいることを知ることは、少しだけ勇気を与えてくれた。ひと頃、そんな共感を求めてネットの世界に入れあげた。

そうした模索の中から、ようやく分かってきたことがあった。私たちはこれまで、見えるもの、コミュニケーション可能なものにあまりにこだわりすぎていたのではないか。見えざるもの、通常のコミュニケーション不可能なものを切り捨ててこなかったか。唯物論の呪縛が解けてみれば、私たちの世界はもっと広いものだったのではないか。

その頃、行き詰まって死のことばかり考えているうちに、次第に死者たちが親しいものとして浮かび上がってきた。これまでの世界観から見れば、死者との交流などということは、およそとんでもなくいかがわしいことで、まともな人間が話題とすべきことではないとされてきた。実際、私が死者のことを問題にし、論じはじめたばかりの頃、どこでも激しい拒否反応に遇い、「あいつはおかしくなったのではないか」というように、疑わしげに見られた。

けれども、死者を拒否せずに受け入れたとき、私ははじめて自分の世界がずっと開かれてくることに気づいた。見えないからとか、通常のコミュニケーションが不可能だからといって、なぜそれほど頑なに拒否しなければならないのか。見えざる世界をもっと素直に受け入れていいのではないか。現実に私たちは、死者をはじめとする、見えざる他者との交流の中ではじめて生かされているのだ。生きている人たちと関わることにずっと違和感があり、自分の枠の中に閉じこもるしかなかったのだが、じつは閉じこもった世界は内側を抜けて、広大に開かれていたのだ。「見えざるもの」の世界のほうが、もしかしたら「見えるもの」の世界よりも、はるかに豊かで、潤いに満ちているのかもしれない。

考えてみれば、私たちは合理的で、科学的であることが正しいと、長いこと信じこまされてきた。非科学的、非合理的なことは迷信であり、捨てなければならないと教えられてきた。だが、科学が進歩し、人々が合理的になれば、自由で平等の楽園に近づくと考えられてきた。だが、そうだっただろうか。科学と合理主義の行き着く先が、果たしてユートピアなのか、逆ユートピアなのか、今では分からなくなってきた。

別に無理に明るい未来を描かなくてもよいではないか。閉じこもっていて、なぜ悪いのか。誤解を恐れずに言えば、自殺さえも否定される所以はない。正直言って、身近にそういう人がいることは、周囲にとってははた迷惑なことで、身体の中に異物を抱えこんだような状態が続く。しかし、だからと言ってどうなるものでもない。結局のところ、折り合いは自分でつけ、苦しさとつき合う方法は自分で模索していくしかない。

そのときに力となるのは、まともに生きている人の叱咤激励ではなく、どこかに自分と同じようにずれて苦しんでいる人がいて、何らかの通路で通じ合えるということだ。その通路は、もしかしたら常識とはまったく違うところで、「見えざるもの」の豊饒の世界へと導いてくれることがあるかもしれない。それは多分、年寄りであっても、子供であっても変わらないだろう。仮想空間とすれすれのところで開かれるそんな不思議なネットワークの可能性を、私は最近少しばかり信じている。

第二章　告発し、和解する死者

一　死者とどう関わるか

二〇一一年の東日本大震災以後、死者の問題がさまざまな形で大きく取り上げられるようになった。それまで、死者の問題を公共の場で論じることは、ほとんどタブーだった。私は二〇〇二年頃から死者の問題を哲学的な議論の場に載せることを試みてきたが、ほとんど無視されていた。ただ、二〇〇六年に「千の風になって」がヒットし、死者が生者に語りかける詩が広く受け入れられた。また、二〇〇八年には映画『おくりびと』（滝田洋二郎監督）が話題になって、死者と関わるという問題が社会的に受け入れられる精神的な基盤が醸成されてきた。背景には、高齢化する中で葬儀や墓の問題が次第に社会問題化しつつある状況があった。そのような前提のもとに、東日本大震災による大量死によって、否応なく死者とどのように関わるかが、正面から問われるようになったのである。

同じような大災害による大量死は、一九九五年の阪神大震災のときにあったにもかかわらず、そこではそれほど死者の問題が語られることはなかった。むしろＰＴＳＤに関連して、精神医学的な観点からの発言が目立った。ところが、東日本大震災の際には、死者の問題が宗教と関係して問われることになった。二つの大きな災害における相違には、さまざまな要因が挙げられるであろうが、なかでもその一つとして、両者を隔てる時代的な断絶ということが指摘されよう。バブルが崩壊し、「失われた二十年」に突入していたとはいえ、一九九五年頃には、まだ復興に希望を託せる余力が残っていた。それが二〇一一年には、もはや楽観的な希望はどこにも求められなくなっていた。そんな中で、ようやく死者の問題が正面から問われることになったのである。

振り返れば、第二次世界大戦後の混乱期も、本当は多数の死者を生み出していながら、それが正面から問われることはなかった。広島の原爆死没者慰霊碑は、正式の呼称は広島平和都市記念碑であって、もともとは「慰霊」の意が籠められていない。「安らかに眠って下さい過ちは繰返しませぬから」という碑の文句は、死者を生者と切り離し、生者の世界は生者で築くという意思表示であった。そのような時代にあって、敗戦前に書かれ、戦争直後に出版された柳田國男の『先祖の話』（角川文庫、二〇一三年）は、子孫によって祀られることのない戦争の死者の霊の行方はどうなるのか、という深刻な問題に発していた。その問題意識が当時十分に受け止められたとは思われないが、それは靖国神社の問題とも絡んで、戦後思想の奥に潜り込むことになった。しかし、その靖国神社の問題にしても、長く政治的次元の問題としてしか見られず、戦争の死者とどのように関わるか、という本来の問題は長く放置されていた。そんな時代に逆らうように、死者の問題を哲学に持ち込んだのが田辺元《はじめ》（一八八五―一九六二年）であった。田辺は晩年の「死の哲学」において、死者との「実存協同」を説いた。それは次のように説明される。

自己のかくあらんことを生前に希つて居た死者の、生者にとつてその死後にまで不断に新にせられる愛が、死者に対する生者の愛を媒介にして絶えずはたらき、愛の交互的なる実存協同として、死復活を行ぜしめるのである。

（『死の哲学――田辺元哲学選Ⅳ』岩波文庫、二〇一〇年、二〇三頁）

田辺はその具体例として、『碧巌録《へきがんろく》』第五十五則の道吾《どうご》と弟子の漸源《ぜんげん》の話を引く。漸源が生死の問題を解決できないうちに、師の道吾は亡くなる。その後になって、兄弟子の石霜《せきそう》に助けられて悟りを開いた漸源は、師が死後もずっと導き続けてくれていたと知り、感謝を捧げる、という話である。ここでは、死者は生者を導き、解決に至らせる役割を果たす。これを解決型、あるいは、和解型と呼ぶことにする。

それに対して、死者は別のはたらきも示す。そのことを明らかにしたのは、上原専禄《せんろく》（一八九九—一九七五年）の『死者・生者——日蓮認識への発想と視点』（未来社、一九七四年）であった。晩年の上原は、妻の死を医療過誤によるものと考え、隠棲して妻の菩提を弔いつつ、死者とともに生者を告発することに全力を注ぐようになった。

共闘者としての亡妻という実感に立つと、今まで観念的にしか問題にしてこなかった虐殺の犠牲者たちが、まったく新しい問題構造において私の目前にいきいきと立ち現われてくる。アウシュビッツで、アルジェリアで、ソンミで虐殺された人たち、その前に日本人が東京で虐殺した朝鮮人、南京で虐殺した中国人、またアメリカ人が東京空襲で、広島・長崎の原爆で虐殺した日本人、それらはことごとく審判の席についているのではないのか。そのような死者たちとの、幾層にもいりくんだ構造における共闘なしには、執拗でガンコなこの世の政治悪・社会悪の超克は多分不可能であるだろう。
（上原専禄著作集一六、評論社、一九八八年、四五頁）

死者は世界の悪を暴きだす。生者が死者を裁くのではない。死者が生者を裁くのだ。このような死者のはたらきは、田辺が示したような和解する死者とはまったく異なっている。それは怒れる死者であり、告発する死者だ。これは告発型と呼ぶことができる。

死者は一方で告発し、他方で和解する。それは、相反する矛盾した両義的なはたらきであり、カミの二つの性格を示すアラタマ（荒魂）とニギタマ（和魂）に相当する。死者の霊、とりわけ現世に恨みを持つ死者の霊は、最初はアラタマ的な荒々しい破壊的な活動を示し、しばしば生者の世界に災厄をもたらす。そこで死者の魂を祀り、饗応し、鎮めることが必要になる。それによって、アラタマはニギタマとなり、生者に福をもたらすカミになる。それは御霊《ごりょう》信仰の基本的なパターンであり、その典型は、菅原道真《みちざね》を祀《まつ》った天満宮信仰に見られる。陰謀によって流罪に遭い、憤死した道真の霊は、都に天災や疫病をもたらし、北野に祀られることで、やがて学芸の神として広く信仰されるようになる。

もちろん、死者の霊が常にこのような二つの性格を持つわけではないし、また時代によって霊の性格も異なってくる。例えば、靖国神社の戦死者の霊がどのような性格か、これはいまだにはっきりと確定せず、流動性を持つ。他の神社と異なり、靖国はカミとして祀る以前に寺院と共通する死者慰霊的な性格が強い。しかし、お守りを授与し、絵馬を奉納するなどは、通常の神社のカミ信仰と共通する。その際には、明治初期の維新の功労者を祀る顕彰神的な神社と基本的に共通する性格を持つ点が注目される。

顕彰神は人をカミとして祀るものでありながら、御霊信仰とは異なって、権力者や忠臣の霊を顕彰する点に主眼がある。近世の豊国神社や東照宮に始まるが、明治になって維新の功臣を祀る神社が新たに多く作られ、別格官幣社《べっかくかんぺいしゃ》として位置づけられた。顕彰神は、中世までには見られない、新しいカミ信仰の形態である。そこでは、告発と和解という両義的な性格は弱まるが、アラタマ的な強さとニギタマ的な慈愛の両面は持ち続ける。近世の東照宮であれば、アラタマ的な強力な権威をもって畏敬され、それによってニギタマ的に徳川の治世を守ることになる。近代の顕彰神もまた、一方で戦いへと鼓舞する性格と、平和な治世を守るという性格との両義性を持つ。

その際、顕彰神には政治性が強く反映され、国家守護の性格を強く持つことが特徴である。近世であれば、東照宮は徳川幕府の権力を背後で支えるものであり、明治の顕彰神は明治国家と一体となってその支配を正当化する。そのことは靖国の場合にきわめて顕著であり、あくまでも官軍の死者を祀るのであって、賊軍は排除される。そして、その政治的構造は戦後まで引き継がれることになる。

近代のカミの性格の問題にまで話が進んでしまったが、本章で以下に考察したいのは、元へ戻って、カミと化するのではない、いわばもっとナマな直接の死者のあり方である。近代のカミの両義性は、そのような死者の両義性に基づいて考えられるのであり、それを国家に吸収するところに成り立つと考えられる。それ以前の、国家の秩序に必ずしも吸収しきれない生々しい死者の両義性の原点とは何なのか。そのような死者はまた、国家という次元に硬直化する以前の、もっと原点的な政治性のあり方をも教えてくれるのではないか。そんな見通しを検証してみたい。

ここでは、その考察に文学作品を用いる。文学作品は、現実の問題を作者の目を通して再構築し、思想化していく、その過程の現場に位置すると考えられるからである。そこには、田辺や上原のように理論化される以前の段階で、死者がどのように生者に呼びかけ、はたらきかけるかが、もっと生き生きと具体的に示される。まず次の第二節では、死者による告発と和解のモデルを近世の村落共同体の中に見て、それを『死霊解脱物語聞書《しりょうげだつものがたりききがき》』にうかがう。その後、現代に近い時代へと跳び、第三節では場面を隣国の韓国・朝鮮に移し、同一民族が戦った朝鮮戦争の悲劇の中での、死者の告発と和解を扱った黄晳暎《ファンソギョン》の『客人［ソンニム］』（鄭敬謨訳、岩波書店、二〇〇四年）を取り上げる。最後に、死者を通して日本の戦争と植民地の問題を描いた柳美里《ゆうみり》『8月の果て』（新潮社、二〇〇四年）を見ることにしたい。

二　共同体の中の死者――『死霊解脱物語聞書』

『死霊解脱物語聞書』は、近世浄土宗の怪僧祐天《ゆうてん》（一六三七―一七一八年）の霊験譚であり、祐天生前の元禄三（一六九〇）年に出版されて評判を得た。物語は、寛文十二（一六七二）年の正月から四月にかけて、下総の羽生村（現、茨城県常総市）で起こった実話に基づいている。当時、祐天は関東十八檀林の一つである下総の弘経寺《ぐぎょうじ》（現、常総市）で修行中であった。祐天は後に将軍綱吉の生母、桂昌院《けいしょういん》の帰依を受け、増上寺三十六世法主にまで出世した（一七一一年)。その霊験は、高田衛《まもる》『江戸の悪霊祓い師』(筑摩書房、一九九一年、角川ソフィア文庫、二〇一六年)によって注目されるようになった。その話の大略は、以下の通りである(小二田誠二解題・解説『死霊解脱物語聞書――江戸怪談を読む』白澤社、二〇一二年による)。

羽入村《はにゅうむら》の農民与右衛門の娘菊に、与右衛門の元妻累《かさね》の霊が憑き、夫の与右衛門に川で殺されたことを告発する。村の名主三郎左衛門、年寄庄衛門が呼ばれ、念仏によって累の怨霊はひとまず去り、菊は累に連れられて行った地獄の様子を物語る。しかし、累の霊が再び現われ、石仏の造立と念仏興行を求める。それを承諾したところ、霊は名主の求めに応じて、村の亡くなった人たちの後生の様子を語る。累の霊がさらに菊に降りてくるので、ついにそのことが弘経寺の祐天和尚に伝えられ、祐天が出向いて、菊に十念の念仏を授け、それによって累の霊は成仏する。こうして、「寛文十二年三月十日の夜、亥の刻《こく》《い》ばかりに累が廿六年の怨執《おんしゅう》、悉《ことごと》く散《さん》じ、生死得脱《しょうじとくだつ》の本懐を達せし事」(同、一〇二頁)が確認され、石仏も開眼して、ひとまず一段落する。

ところが、またまた菊が苦しみ始める。祐天が呼ばれ、一体誰が憑いているのかと問うと、「すけとわつはし(童)で御座ある」(同、一二五頁)と答える。村人たちに尋ねると、六十一年前に累の父である先代の与右衛門が、妻の連れ子の助《すけ》が障害児だというので虐待し、思いあまった妻が助を川の同じ場所に沈めて殺していたことが発覚する。祐天が助に戒名を授けると、集まった人たちの目の前に助が姿を現わす。「五六歳成《ごろくさいなる》わらんべ、影のごとくにちらりちらりとひらめいて、今書きたまへる戒名に、取付とぞ見へける」（同、一三三頁）という。そして、あたり一面、光に満たされる。「四方の気色を見渡せば、何とは知らず光かゝやき、木々の梢にうつろふは、宝樹宝林と詠《なが》められ」、それはあたかも極楽のような情景であった。こうして物語はクライマックスに達する。その後は後日談とも言うべきもので、菊は出家を望むが、祐天は「在家は在家のわざあり。出家は出家のわざあり」（同、一四五頁）とそれを拒否し、菊はその後、家も栄え、子供も二人もうけて、幸福に過ごしているという。

著者は残寿《ざんじゅ》と言われるが、祐天自身の話を何度も聞き、さらには羽入村にも取材して書いたというルポルタージュ的作品で、登場人物も実名である。この『聞書』が出版されたとき、まだ菊は生存中であった。この話は後にさまざまに脚色され、累《かさね》を主人公とした怪談に仕立てられ、三遊亭円朝の『真景累ヶ淵《しんけいかさねがふち》』にまで至る。しかし、もとの話は二代にわたる与右衛門の殺しを死者の霊が菊に憑いて告発し、祐天の念仏によって和解が成立し、迷える霊が往生するというもので、怪談を意図したというよりは、因果応報と念仏による救済を説いた話になっている。

助《すけ》も累《かさね》も障害があって醜いからというので殺された。累が醜いのは、親の罪の報いだというのである。何とも悲惨な話であるが、ここで注目されるのは、この二つの殺人を村人たちが知っていながら黙っていたということである。与右衛門による累の殺人の現場には、「同村の者一両輩、累が最後の有様、ひそかにこれを見るといへども、すがたかたちの見にくきのみならす、心ばへまで人にうとまるゝほど成ければ、実にもことわりさこそあらめとのみ、いゝて、あながちにおとこをとがむるわざなかりけり」（同、一二三頁）と言われるように、見ている村人がいた。しかし、累が外見のみならず、人に嫌われるような性格だったので、与

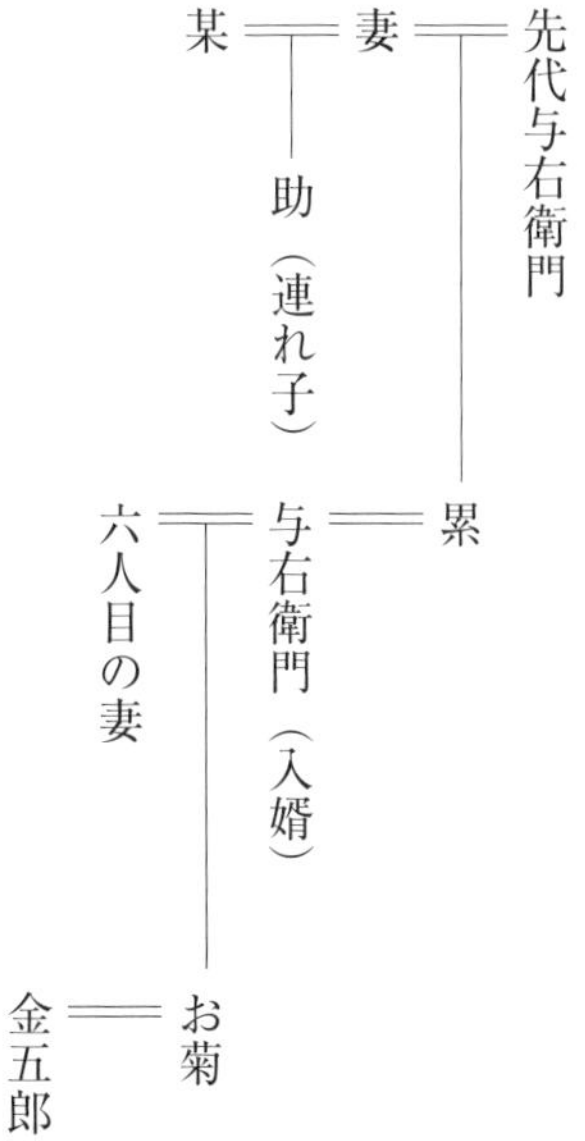

（高田、2016、p.113）

右衛門に同情して、黙っていたというのである。助のときは六十一年も昔だが、八右衛門という老人が親から聞いたということで、事情を知っていた。

このように、子殺し、妻殺しを村人は知っていたけれども、それを内々の秘密として、知らぬ顔をしていたのである。そこには、「地頭代官へももれ聞え、一々詮議に及ぶならば、村中滅亡のもとひならんもいさしらず、せんなき事に懸り合《あい》村中へも苦労をかけ我等も難儀を任《つかまつ》る」（同、八八頁）という名主の言葉にあるように、役人の耳に入って村全体が迷惑を蒙ることを避けたいというのが根底にある。あくまでも村の範囲で何とか納めたいというのである。

興味深いことに、ここには殺人という大きな罪にもかかわらず、その犯人を罰するという発想がどこにも出てこないということである。たしかに当初、「与右衛門に発心させ、かさねがぼだいをとわせんには如《しか》じ」（同、三一頁）というわけで、剃髪させるが、殊勝な心もないままに、何の役にも立たず、与右衛門はそのまま居座って農作業に出たりして、最終的に何の咎めを受けることもない。罪人は裁かれることなく、誰もそれを不思議とも思わない。むしろ裁きの場に引き出すことは村全体にとって迷惑なことなのである。

それならば、何故累や助が菊に憑《つ》いて過去の殺人を告発したのであろうか。それは、犯罪者を裁いてほしいからではなく、自分たちが非業の死を遂げたまま供養を受けていないので、迷ったままになっているからである。つまり、ここでの問題は法や倫理のレベルではなく、宗教的レベルの問題なのである。それに対して、村人たちは当初、石仏の建立などによって自分たちだけで解決しようとしたが、それではかなわず、祐天の登場となり、この稀有の悪霊祓い師の力で累も助も成仏する。こうして死者は苦しみから解放されて、死者との和解が成立し、めでたしめでたしとなる。同時に、それは死者だけの問題ではない。死者の闖入《ちんにゅう》で危機に曝された村落共同体が、無事に秩序を取り戻し、もとの安定した社会に戻ることでもある。死者との和解は、同時に生者の世界の秩序の回復でもある。

このように、この物語は近世の閉鎖的な村落共同体の枠の中での死者の告発と和解、それによる秩序の危機と回復のサイクルと考えることができる。しかし、それだけに留まって、終わるわけではない。祐天という外部者が解決することで、共同体の閉鎖性は破綻を生じてしまう。祐天は、やがて江戸でその悪霊祓いの能力を発揮してスターとなり、大奥に入り込んだ上、浄土宗のトップにまで昇りつめる。それとともに、羽入村の一件も出版されて、世間に広まることになる。閉鎖された共同体の中で完結させようとした村人の努力は、いったんは成功したかに見えながら、そのままそっくり外の世界に持ち出され、世間周知の物語となり、さまざまなヴァリエーションが生まれるまでになってしまう。今日でいえば、小さな村のちょっとした出来事を、たまたま居合わせた旅行者がネットにあげ、それが評判になって、日本中あるいは世界中に拡散するようなものである。

本書『死霊解脱物語聞書』が出版された元禄期は、近世社会の大きな転換点に立っていた。家康から家光の時代に築かれた徳川の秩序がほぼ完成し、元禄文化の華が開く。しかし、同時に商品経済の進展は農村をも巻き込み、固定化した秩序が急速に流動化し、さまざまな綻びが生ずる、転換点となる時代である。思想的にいえば、それまでの仏教中心から次第に儒教などの世界観が進展してくる時期に当たる。近世初期の鈴木正三《しょうさん》の『因果物語』（一六六一年）などに見られる仏教的な因果応報が、説得力をもって受け入れられた最後の頃と見ることができるであろう。世俗主義の伸張の中で、やがて羽入村の一件は、仏教的な教化としてよりも、娯楽化した怪談の形で愛好されるようになる。

ここではそのように広がる問題にはこれ以上立ち入らず、ひとまずある限定された世界の中で、死者の告発と和解がどのようになされるか、一つのテストケースとして示した。以下では、われわれにもっと近い時代の問題へと移ることにしたい。

三　死者は分断を超えられるか――黄晳暎『客人［ソンニム］』

第二次大戦後の日本が、七十年以上にわたって、ひとまず表面的には平和を維持してきたのに対して、隣国の韓国はさまざまな試練と戦いを乗り越えてこなければならなかった。そのもととなる日本による植民地時代（一九一〇―四五年）の問題は次節で考えるが、植民地からの解放は決して直ちに安定した平和の時代をもたらしたわけではなく、かえってそれは戦乱と混乱の時代の幕開けであった。三十八度線を境にソ連とアメリカの分割統治のもとに置かれ、そのまま民族が分断されて、朝鮮戦争（一九五〇―五三年）に突入した。北朝鮮が金氏三代の支配が続いたのに対して、韓国は朴正熙《パクチョンヒ》のクーデター（一九六三年）以後、盧泰愚《ノテウ》による民主化宣言（一九八八年）がなされるまで、アメリカの支援下に軍事独裁体制が続き、ベトナムへも派兵した。その間、民主化の運動は激しさを増し、中でも一九八〇年の光州事件は多数の死傷者を出して鎮圧された。

この困難な時代に自ら民主化運動の先頭に立ち、韓国を代表する作家として高い評価を得てきたのが黄晳暎《ファンソギョン》（一九四三年—　）であった。黄は、一九八九年に北朝鮮を訪問したことが反共法違反に問われてそのままドイツに亡命し、九三年に帰国と同時に逮捕され、九八年まで七年間の獄中生活を送った。釈放後は民主化運動とは距離を置きながらも、『懐かしの庭』上下（原著二〇〇〇年。青柳優子訳、岩波書店、二〇〇二年）、『客人〔ソンニム〕』（二〇〇三年。鄭敬謨訳、岩波書店、二〇〇四年）、『パリデギ——脱北少女の物語』（二〇〇七年。青柳優子訳、岩波書店、二〇〇八年）などの力作を発表してきた。

ここでは、死者による告発と和解を語る『客人〔ソンニム〕』を取り上げたいが、それに先立つ『懐かしの庭』には触れておく必要がある。この作品は、光州事件とその後を扱っている。主人公の呉賢佑《オヒョヌ》は光州事件の首謀者の一人として逮捕され、十八年の獄中生活の末、釈放される。彼が向かったのは、逃亡生活の中で美術教師の韓潤嬉《ハンユンヒ》と短い愛の日々を過ごしたカルメであり、そこで彼を待っていたのは、病に没したユンヒが彼に宛てて遺した膨大なノートだった。読まれるあてもない不在者へ向けて書かれたノートを、今度はその書き手の死＝不在の中で読むという、二重の不在を通して、過去と現在とが交錯し、政治と個人の生とが切り結ぶ。そこには、著者自身の亡命と獄中生活が反映され、直截に政治へと向かう初期のリアリズム作品が大きく変貌している。不在の死者との関わりを媒介としながら、新しい方向を模索しなければならなくなった、主人公のヒョヌは、物語の終わり近くで述懐する。

一つの時代が終焉を告げ、それが何であったのかを独房の中で理解するのに何年もかかった。国家権力を掌握しようという試みは古くなり、不必要なものになってしまった。

（『懐かしの庭』訳書、下・四二頁）

だが、それは必ずしも絶望を意味するわけではない。

国家権力に対して変化と改革を求めた名もなき人々の集団がお互いに連帯し、子供たちの陣取りゲームのように、少しずつたゆまず資本が食べ残したものを取り戻し、実質的な平等の段階へと領域を拡大していかなければならない。

（同）

希望は次の時代へと繋がれ、わが子ウンギョルと出会うところで、物語は幕を閉じる。

歴史は死者によって担われる。歴史への扉を開き、現代を過去へと結びつけるのは死者をおいて他にない。『懐かしの庭』で姿を現わした不在の死者は、『客人［ソンニム］』では亡霊となって、さらに時代を遡り、朝鮮戦争へと導く。民族分断の悲劇は、まさにそれを生んだ当事者たちの亡霊を呼び起こすことによってしか、和解の道はない。『客人［ソンニム］』は、朝鮮戦争下の一九五〇年に、三十八度線のすぐ北の黄海道信川《ファンヘドシンチョン》で三万五三八三人の死者を出した虐殺事件を扱っている。この事件は米軍の犯行とされているが、著者は、じつは反共プロテスタント系住民による共産党系住民の虐殺だったという衝撃的な「真相」にたどり着く。

ニューヨークに住む主人公柳《ユ》ヨセフ牧師は、北朝鮮を訪問することになったが、出発前日に兄のヨハネ牧師が亡くなる。ヨハネは実は信川虐殺の中心人物だった。ヨセフは兄の骨片を持って平壌から故郷の信川に向かい、思いがけなくも兄嫁や甥、叔父たちと再会する。ヨセフは、兄の亡霊や、虐殺された淳南《スンナム》たちの亡霊に導かれながら、あの過去の日へと向かう。同朋同士が不信の極に達し、殺し合うという、これ以上ない過去の惨劇がそこに現前し、そんな場からそれでもなお和解の可能性が模索される。

この作品について作者は、巻末の「作者のことば」で、いささかフライングと言っていいほどの種明かしをしている。その「作者のことば」は、「『客人』は私が亡命客としてベルリンに滞在していた頃、冷戦体制の解体を告げる『壁の崩壊』を目撃しながら構想を始めた作品である」（訳書、下・二八九頁）と書き始められる。作者自身が北朝鮮を訪問して、そのままベルリンに亡命した、まさにその年にベルリンの壁が崩壊し、翌年には東西ドイツが統一される。作者はその歴史的現場に居合わせることで、いっそう分断されたままの祖国への思いが募ったであろう。どうすれば同朋同士の憎しみが溶け、和解が成立し得るのか。それには、絡み合った糸の最初に戻り、その歴史のおおもとを解きほぐさなければならない。『懐かしの庭』では、自らが直接関わった光州事件が扱われた。それがさらに朝鮮戦争に遡るとなると、もはや死者の強力な助けなしには描き出すことができない。

記憶の彼方に消え去った時間、そしてその中で営まれた生の痕跡、そのようなものは歴史の流れの中に滲みこんでくるかと思うと、また時には夢の如くわれわれの日常の生活に色どりを与えるものであろう。流れの中で滲みこんだ歴史と、日常生活を彩る夢は、共に現実の中で連結されるべきだというのが作家としての私の信念である。

（同『客人』）

歴史は過去の中に埋もれ、消滅し、化石となってしまったのではない。「記憶の彼方に消え去った時間」が今を縛り、今の苦難を生み出している。その歴史を今に呼び出そうとするとき、それはまさしく夢のようなものとして現出するしかあり得ない。夢とは、決してはかない非現実的なものではない。歴史と夢が強固な現実を造るのであり、それを導くのは死者しかいない。それはまさしく夢幻能を思い起こさせる。能もまた、死者の亡霊が導き手となって夢の中で過去が現実化し、そのことによって救いがもたらされる。それ故、亡霊は単なる作品上のレトリックではなく、過去が現実以上の現実として現前するために不可欠な導き手なのである。亡霊たちによって現前された過去の惨劇は、過ぎ去った過去ではなく、過ぎ去ることのない今の痛みとして、傷口はさらに大きく広がっていく。

「作者のことば」は、作品自体をいささかはみ出して、惨劇のもとであり、現代につながる悲劇の根源となる、キリスト教対マルクス主義という対立そのものに対して、重大な疑義を呈する。

キリスト教とマルクス主義は、この民族が植民地時代と分断の時代を経てくる間に、自律的な近代の達成に失敗し、他律的なものとして受け入れた、近代化への二つの異なった途であったと言うことができよう。（同、二九一頁）

自律的な近代化がなされなかったために、外来の思想が主導権を握ることになったのではないか。その点で、キリスト教もマルクス主義も同罪ではないか。それは、ある意味では本書『客人［ソンニム］』の結論でもあり、書名の由来でもある。「客人」という言葉は、韓国語では天然痘を意味する。

キリスト教はもちろん西の方からやってきたものであるが、天然痘もまたシルクロードのかなた西域から渡ってきたものであって、その故にこの怖ろしい病は「西病」として認識された。朝鮮民衆はこの病のことを、一刻も早く帰ってもらうべき「客人《ソンニム》」と呼んだり、また雲の上のやんごとなき方につける尊称の「媽媽《マーマ》」と呼んだりしながら、ひたすらその祟りから逃げようと努めたのであった。解放後、わが国を舞台として格闘を演じ、われわれに大きな傷あとを残したキリスト教とマルクス主義は、いわば共に「西病」であって、その故にこそ私はこの作品に「客人《ソンニム》」というタイトルをつけたのである。

（同、二九一―二九二頁）

キリスト教もマルクス主義も、ともに天然痘と同じく外からやってきた「西病」の「客《ソン》人《ニム》」なのだ。この問題を抱えるのは韓国だけではない。欧米の近代化を受け入れたアジアの諸国に共通する問題であり、日本もまたその例外ではない。というよりも、日本こそ率先していち早くこの欧米的近代化を受け入れたのではなかったか。それが結果として朝鮮を植民地とし、そこに「客人《ソンニム》」を呼び込む歪みを造ったのではなかったか。

黄は、その「客人」に対抗するものとして、韓国の伝統的なシャーマニズムを呼び出す。それが「客人巫祭《ソンニムクツ》」であり、『客人［ソンニム］』の章立ては、「黄海道地方の『客人巫祭《ソンニムクツ》』における十二の場《マダン》の形式に基づいて書かれている」（同、二九二頁）という。

> ここにおいては幽冥を異にする生者と死者が、過去と現在の時間の距離を超えて登場し、それぞれの立場から回想と現況を語り合うだろう。……災厄を逃れるための巫祭《クツ》は同時に災厄の犠牲となった亡者をして、心おきなくあの世に旅立たせるためのものであった。冷戦時代の傷を負ったまま虚空にさまよっている亡霊たちを慰め、生者と亡者との最終的な和解を夢みながら、私はこの一篇の作品を書き上げた。（同）

ここにこの書の意図が余すところなく述べられている。「客人《ソンニム》」にお引き取り願い、「生者と亡者との最終的な和解」を成り立たせるのは、外からきた「客人」ではなく、自らの伝統文化の中に育ってきた巫術《ふじゅつ》である。黄は次の作品『パリデギ』（二〇〇七年）では、さらにシャーマニズムに深入りする。だが、それが本当の和解になるのだろうか。日本はかつて、外来のキリスト教でもなく、マルクス主義でもなく、「日本古来」という触れ込みの「神道」に拠り所を求めた。それが適切であったのかどうか。解決はそれほど容易にはいかないようだ。

四　死者は走り続ける――柳美里『八月の果て』

柳美里は、今日の日本の作家の中で、もっとも死と死者に近いところを走り続けてきた。家族の崩壊や学校でのいじめを経験し、居場所を求めて必死にもがき続け、高校を中退。その間、自殺はいつも彼女の身近にあり続けた。演劇に身を投じて、東京キッドブラザースの東由多加《ひがしゆたか》に見出されて頭角を現わし、やがて小説も認められるようになる。初期の作品群は、そうした作者の自画像に他ならない。

大きな転機は、東と別れて、違う男性の子供を宿し、再び東のもとに戻ったときに訪れる。新しい生命の誕生の一方で、東の癌が発見され、激烈な闘病生活の末に二〇〇〇年四月に亡くなる。柳はその最後の日々を共有し、『命』（二〇〇〇年）、『魂』（二〇〇一年）、『生』（二〇〇一年）、『声』（二〇〇二年）の『命』四部作（いずれも、小学館刊行。その後、新潮文庫に収録）で、怒濤のような日々の一部始終を洗いざらい描き出す。ただし、内面に閉ざされた私小説ではなく、登場人物を実名で記し、生の資料や会話を積み重ね、途惑い、足掻き、転げまわるさまが、ほとんどノンフィクションとも言える臨場感を持ってそのまま結実した作品である。誕生と死、過去と現在、そして家族とは何かという大きな問題が、決して抽象化された議論ではなく、切実な現実の問題として直面される。

私が思い描いていたのは、東由多加とわたしと丈陽の三人の家族――、同じ方舟に乗り込み洪水を越えて新天地に向かうというイメージだった。血の繋がりはないし、婚姻という制度によって保証されているわけでもないが、だからこそ強固な絆のように思える。互いの命のために互いが必要だというたったひとつの根拠によって三人は結ばれているのだ。

（『命』新潮文庫、二〇〇四年、二三六頁）

必死にそのイメージにしがみつき、戦いながらも限られた時間に押し流され、混乱し、やがて否応なく病者は死者に変貌する。『声』は、東の四十九日で、結末とは言えない結末を迎える。

一時間でもいいです　東由多加と話をさせてください　声を聞きたいんです　お願いします　東由多加の声を聞かせてください

（『声』新潮文庫、二〇〇四年、三五四頁）

死者がどう位置づけられるのか、未解決のままに無理矢理一つの区切りがつけられる。そんな中で、慌ただしく次の大作『8月の果て』に取りかかる。『朝日新聞』二〇〇二年から夕刊に連載し、韓国語訳が『東亜日報』に同時掲載という鳴り物入りの出発だったが、二〇〇四年に未完のまま連載が打ち切られ、雑誌で書き足して同年、新潮社から出版された。

柳は在日韓国人の両親のもとに生まれ、そのことが彼女の人生をも作品をも根底から規定している。「わたしは父母をパパ、ママと呼んで育ったが、祖父はハンベであり、祖母はハンメ」（『命』一〇九頁）。そして、「わたしは日本語しか話せないし、書けない」（同）のに韓国籍を持ち、生まれてくる子どもの国籍は日本にする。「息子に関わる行事……では和服を着て、自分が公の場に出る時はチマチョゴリを着る」（『国家への道順』河出書房新社、二〇一七年、六〇頁）という使い分けが必要になる。在日であるということは、そのようなアイデンティティの分裂を否応なく引き受け、「韓国人でも日本人でもないという逃れようのない事実を突きつけられ、その居心地の悪い場所に立ちつづけるしかない」（『柳美里不幸全記録』新潮社、二〇〇七年、三四六頁）という覚悟を必要とする。

ともすれば単一民族論の罠にたやすく堕ち込んでしまいがちな日本において、このような在日韓国朝鮮人の視点はきわめて重要である。それは、しばしば誤解されるように、政治的に右か左かということではなく、「純粋日本人」がアイデンティティにがんじがらめに縛られ、かえって自己を見失う危険から救ってくれるという意味で不可欠なのだ。日本の歴史や文化は、もともと外に開かれる形でしか成り立ちえなかった。そのもっとも身近な他者が韓国であり、内在化した他者が在日韓国朝鮮人だった。

柳は『8月の果て』で、はじめて自らのルーツへと旅立つ。それはそのまま植民地問題をはじめとする、ややこしく、また厄介な歴史問題を引き受けることでもある。柳が主人公に据えるのは母方の祖父。小説の中で李《イ》雨哲《ウチョル》と呼ばれる祖父（実名は梁《ヤン》任得《イムドク》）は、マラソンランナーとして幻となった東京オリンピック日本代表の有力候補であった。あたかもベルリンオリンピックのマラソンで優勝した孫基禎《ソンキジョン》のように。

小説は、作者が雨哲の故郷である密陽《ミリヤン》で、シャーマンの儀式死霊祭《シッキムクツ》に巫女《ムーダン》と男巫《パクス》を呼んで、雨哲の霊を降ろすところから始まる。祖父に同化しようとして、ソウルのマラソンを走る作者。そこから死者の導きで、あるいは死者と同化することによって、植民地時代の密陽で物語が展開する。雨哲はひたすら走ることしか知らず、女たちを次々と漁って憎悪の渦の中で多くの子供を儲ける。解放後、保導連盟事件に巻き込まれて逮捕され、脱獄して日本に渡る。もう一人の主人公が雨哲の弟の雨根《ウグン》。同じように優れたランナーだったが、密陽出身の独立運動の指導者、金《キム》元鳳《ウォンボン》に従い、解放後は共産主義を信奉して李承晩政権下で虐殺される。雨根に憧れた英子（金《キム》英姫《ヨンヒ》）は騙されて従軍慰安婦として売られ、自ら命を絶つ。苦難の歴史の物語の最後では、雨根と英姫の死後結婚式が執り行なわれ、作者の柳美里に英姫の霊が乗り移る。

自らのルーツの探索がそのまま日韓の歴史に重なる。しかも、作者はその物語を外から描くのではない。自らその中に跳び込み、死者と同化して走り抜ける。最初と最後を包むシャーマンの儀式は、いささかわざとらしい感じもする。柳自身、実際に死霊祭を体験したが、巫女の言うことは当たらなかったらしい（『柳美里不幸全記録』九三頁）。しかし、死者を呼び出してその語りに身を任せ、和解へと導くのは、琵琶法師による『平家物語』や能の演技をはじめとして、日本の伝統の中でも長く受け継がれてきた。柳は、日本と韓国両方の伝統的な手法を継承して、死者を甦らせ、語らせる。

『命』四部作が事実を事実として発信するのに対して、『8月の果て』は死者によって導かれるフィクション性の強い物語として構築される。後半の歴史叙述や従軍慰安婦の描き方がやや図式的で書き急いだ感はあるが、大きなスケールの物語を構築し、歴史に自らを投じて描き切ったのは、今日の日本文学において他に例を見ない作品と言える。少し前の時代の高橋和巳や大江健三郎、そして中上健次のような大きな物語の構築がほとんど消えてしまった時代に、唯一それを引き継ぐ真摯な作品として屹立している。

最後のほうでは、雨根と英姫の純粋さが死霊結婚によって和解に至るのは印象的だが、実は本当の主人公の雨哲ははるかに屈曲して卑怯にも逃げ出し、在日一世としてもう一つの歴史を生きることになる。そこでは和解は成立しない。そんな中で、走ることだけが彼の純粋な志の証となる。孫の作者も走る。走ることで、死者と一体になれる。最終的な和解はどこにあるのか。長い小説の最後は、「自由！」という言葉で終わる（『8月の果て』下・五四七頁）。『8月の果て』で大きな物語の構築を果たした柳は、その後、長いスランプに陥る。その彼女が新しい方向を見出したのは、二〇一一年の東日本大震災の後、被災地に通うようになってからだった。戦争の死者と異なる災害の死者たちとの出会い。彼女を導くのは、いつも死者たちだった。一五年には南相馬市に移住、一八年には本屋を開店し、演劇公演を再開した。『JR上野駅公園口』（河出書房新社、二〇一四年）で「全米図書賞」を受賞し、充実した活動を展開している。それがまた次なる大きな作品に結実することを期待したい。

五　死者といまだ生まれざる者

『死霊解脱物語聞書』では、死者は告発と和解を成し遂げ、共同体の綻びを修復する。しかし、そこでもすでに閉ざされた共同体は外に開かれなければならないという矛盾を蔵していた。そこから現代へと目を移すと、死者はより複雑な状況の中に置かれる。『客人［ソンニム］』では、南北分断の中で同胞同士の憎しみと虐殺による死者が、果たして和解に至り得るのかと問われた。『8月の果て』では、植民地朝鮮の死者、そして日本と韓国の間に股裂きされた在日韓国人の問題が問われ、和解の困難と向き合いながら、未来へ向けての問いが投げかけられた。

いずれにしても、今日、死者たちは否応なく政治に組み込まれ、国家に翻弄される。死者の和解は、同時に政治の解決なしには達し得ない。あるいは逆に、死者たちの和解こそが、政治を動かすことを可能にするのかもしれない。中島岳志は「死者の民主主義」を説く（100分de名著『オルテガ〝大衆の反逆〟』第三回、二〇一九年放送）。死者が動くことで、はじめて世界が変わる。それはまさしく上原専禄がいち早く示していたことではなかったか。民主主義は、生者のそれぞれの利己的な自己主張のぶつかり合いを調整するところから生まれる。そこでは他者とは、敵対し排除されるものでしかない。しかし、死者という他者がそこに関与することを認めるならば、民主主義は大きく形を変えなければならなくなる。死者という過去を捨てて、生者だけの解決はあり得ない。本章で取り上げた例はそのことを明らかにしてくれる。

だが、もしかしたらそれだけでも不十分ではないか。私が最近考えている問題は、いささか飛躍するかもしれないが、死者とともに、「いまだ生まれざる者」も考慮に入れなければならないのではないか、ということだ（『冥顕の哲学2　いま日本から興す哲学』終章参照。ぷねうま舎、二〇一九年）。なぜならば、死者と生者だけの利益が求められるならば、その負の遺産が未来の世代にかぶせられることになるかもしれないからだ。未来は、今生きている若い世代、あるいは子供たちというだけでは不十分だ。いまだ姿かたちも現われていない、存在しない者たちもまた、受益者として権利があるのではないか。それは一見奇妙に聞こえるかもしれないが、過去の日本の建設者たちが「国家百年の計」と言ったとき、まさしく意味していたことではなかっただろうか。

こうして、民主主義は死者を加え、さらにいまだ生まれざる者を加えることによって、はじめて全きものとなる。それは単に政治の問題としてではなく、倫理の問題であり、さらに宗教の問題として考えなければならない。そうしてはじめて、失われた希望や理想が新しい相貌をもって立ち現われ、私たちを導いてくれるのではないだろうか。

第三章　終末論と希望

一　衰退期に入った人類

新型コロナウイルス感染症（COVID-19）の猛威は、一時的に収まっても、なかなか最終的な終息に至らず、中途半端な「共存」を余儀なくされた。「パンデミック後」という以前に、「パンデミックのただ中で」どうすればよいかが、まず問われなければならない。と言っても、医療現場や研究開発の先端にいるわけではないので、すぐに実用になる知恵を提供できるわけではない。一歩退いた位置で、どのように未来へ向けて思想、哲学を構築できるかが課題だ。それは一見、「不要不急」のように見えながら、「パンデミック後」に新たに立ち上がることができるかどうかを決める、決定的に重要な意味を持つ。「パンデミック後」は、「パンデミックのただ中」の延長上に、もはやそれ以前の常識が通用しない、まったく新しい状況に立ち向かわなければならない。

近代的世界観は一九八〇年代にほぼ崩壊した。それにとどめを刺したのが、九〇年代はじめの冷戦の終結とマルクス主義の壊滅であった。しかし、それに代わる新しい世界観が形成されないままに、惰性的に近代的世界観の残滓《ざんし》で突き進んできた。近代的世界観は、科学的合理性に基づき、可視化できるもののみの実在を認め、歴史の直線的進歩を信奉する。経済成長優先の楽観論がまかり通ってきた。そのような世界観が不可能となったとき、どのような新しい世界観を築けばよいのか。

ここで注意されるのは、単に世界観の問題だけでなく、そもそも人類が全盛期を過ぎて衰退期へ入ったのではないか、という可能性である。コロナウイルスだけではない、この十数年ほどの間に襲った大災害の頻発や、温暖化をはじめとする環境の悪化は著しい。そもそもウイルスの蔓延は、環境破壊に由来すると言われる。また経済的格差の拡大も、是正は次第に困難になりつつある。富裕国／富裕層が豊かになれば、貧困国／貧困層もまた豊かになるというご都合主義的な理屈は成り立たず、格差はますます大きくなり、人類全体としての適応能力を弱体化している。そうとすれば、個人の老齢化と同様に、人類もまた老齢化して衰退する可能性を視野に入れ、新しい世界観を考えなければいけないのではないか。

序章に述べたことを敷衍して、ここでは終末論の問題を過去の日本の思想から検討し直し、その上で終末論を視野に入れた新しい世界観の可能性を考えてみたい。

二　終末論の可能性――『愚管抄』を手がかりに

今日、終末論は決して極端で奇怪な説ではなく、切実な思想的課題となっている。西洋のキリスト教であれば黙示録の問題になるが、ここでは、西洋思想ではなく、日本中世の歴史思想にモデルを取ることにしたい。それは、慈円の『愚管抄《ぐかんしょう》』である。

慈円（一一五五―一二二五年）は、藤原忠通《ただみち》の子、九条兼実《かねざね》の弟であり、四度、天台座主を務めた。源平の争乱から鎌倉に武家政権が生まれる大きな転換期に、宗教界のトップとして活動し、また兼実に協力して摂関家を守り、国政の安定を図るために力を尽くした。『愚管抄』は、承久の乱（一二二一年）で後鳥羽上皇が幕府に対して挙兵する直前に執筆し、乱後に加筆したと考えられている。

『愚管抄』の歴史観は、基本的に終末が意識された下降史観である。その終末論には重層性がある。まず、当時の常識として末法史観を受け入れている。これは仏陀の出現からの時間的距離によって、正法《しょうほう》・像法《ぞうほう》・末法《まっぽう》と次第に下降していくという見方であるが、『大集経《だいじっきょう》』の五五百年説（五百年ずつ五段階を経て世界が悪化していくとする説）が結びついて、十二世紀に続いた戦乱を最後の闘諍堅固《とうじょうけんご》の時代と見ることになる。

そこに『倶舎論《くしゃろん》』などに見られる劫説《こうせつ》（劫は長い時間の単位）が重なる。劫説のいちばんの大枠は四劫説であり、この世界は成劫《じょうこう》（成立の段階）・住劫《じゅうこう》（継続の段階）・壊劫《えこう》（崩壊の段階）・空劫《くうごう》（空無に帰した段階）の四劫を繰り返すという。それぞれは二十劫からなる。現在は住劫であるが、住劫では同じ状態が続くわけではなく、減劫《げんごう》と増劫《ぞうこう》を二十回繰り返す。減劫は人間の寿命が八万歳から百年に一歳ずつ減って十歳までになり、そこから増劫になり、寿命が八万歳まで延びる。減劫の終わりには、小の三災（刀兵《とうへい》・疾疫《しつえき》・飢饉）が起こり、壊劫には大の三劫（火災・風災・水災）が起こるという。当時は、まさしく小の三災をうかがわせる事態が続いていた。

こうして世界は緩やかに盛衰を繰り返しながら、最後は崩壊するのである。ただし、それで終わるわけではなく、再び成劫に入って生成が始まるというサイクルをなしている。全体としては、ニーチェの永劫回帰説にも似た円環的な時間構造をなし、キリスト教の黙示録的な終末論とも、近代的な直線的、発展的時間とも大きく異なっている。しかし、それは直線的時間を排除するものではない。住劫のうち、増劫と減劫の一サイクルの間だけを取れば、その間は時間が直線的に流れていると見ることが可能である。あたかも、量子論や相対性理論が出たからと言って、日常の範囲ではニュートンの古典力学で計算できるのと似ている。

慈円は、仏教者としてこの劫説を受容している。すなわち、「劫初から劫末へとあゆみくだり、劫末から劫初へとあゆみのぼる」(『愚管抄』巻七)というのである。劫初は寿命が八万歳の時であり、劫末は寿命十歳の時である。慈円が今の時代をサイクルの中のどこと見ているかは、必ずしもはっきりしないが、当時の一般の理解では、末法説と結びついて住劫も終わりに近づいた減劫と見られていた。慈円もその衰退史観を共有していたと思われる。

もう一つ、慈円が論及している重要な終末論として百王説《ひゃくおうせつ》がある。慈円はこれをもっとも切実な問題として受け止めている。百王説は、王(天皇)が百代で尽きるとする説で、宝《ほう》誌《し》作と伝える『野馬台詩《やばたいし》』に見える。『野馬台詩』は、誰にも読めなかった難解な詩で、入唐した吉備真備《きびのまきび》が玄宗皇帝から示され、長谷観音《はせかんのん》の遣わした蜘蛛の導きで読むことができたという（小峯和明『中世日本の予言書——〈未来記〉を読む』岩波新書、二〇〇七年）。平安期にはすでに知られていたが、慈円の頃にはかなり広く普及していた。由緒のはっきりしない説を、慈円が当然の前提としているのは、それだけ王権の危機が切実な状況だったからである。

慈円は、百王のうち、すでに八十四代が過ぎており、残りは十六代しかないという。ただし、慈円はそれを単純に悲観的に見ているわけではない。慈円はそれを百帖《ひゃくじょう》の紙の譬えで説く。百帖の紙を使って残りが一、二帖になったとき、紙を足すことで元に戻すことができる。このように、最後が近くなったときに、適切な対応を取ることで、ある程度の復元をなして、延命を図ることができるという（巻三）。十六代しか残っていないのではなく、まだ十六代も残っているのだ。だからこそ、正しく世を治め、邪正・善悪の道理を弁《わきま》えて、仏神の衆生救済の道具とならなければならない（巻六）。それによって、紙を足すように、持続が可能となるというのである。終末が近いことを歎き、自暴自棄になるのではなく、具体的な努力で終末を遅らせることは可能である。

慈円の歴史観でもう一つ重要なことは、現象として現われた「顕《けん》」の領域だけでなく、人間には見えず、うかがい知れない「冥《みょう》」の領域の存在が、歴史に関わっていると見ることである。「冥」の領域には、神仏が属する。慈円の衰退史観によれば、もともと冥顕一致していたのが、次第に両者が離反していったという（巻七）。それ故、神仏の意に適い、その衆生救済を助けることで、体制の持続が可能となるのである。その冥の領域にはまた怨霊もいて、顕で果たせなかった恨みを果たそうと狙うこともある（同）。平家の怨霊が切実な問題だった時代を反映している。歴史は人間だけで造るものではない。不可視の者たちの関与を無視することは許されない。歴史を人間に理解可能な合理性だけで計測するのは、とんでもない傲慢であり、終末を招くものではないのか。慈円の歴史論の中核である「道理」の観念は、決して人間本位の合理性を意味するものではなく、冥の存在の関与による不可知性をも含むものであった。

三　終末論から生まれる希望

慈円の歴史論は、天皇と摂関家と武士が複雑に絡み合った特殊な時代状況の中で生まれたものではあるが、危機的状況において歴史をどのように見るべきかという点に関して、今日でも示唆するところは少なくない。そのポイントは、第一に、仏教的な末法説や宇宙的時間論である四劫説《しこうせつ》を受容しながら、それに百王説を重ねて、重層的な終末論を形成するとともに、それに絶望するのではなく、持続可能な道を求めようとしたことである。第二に、その際に、目に見えない「冥」なる領域の存在の関与を大きく取り上げ、人間中心主義への警鐘を鳴らしていることである。このような歴史観は、決して中世という遠い過去に閉じ込めて封印してよいものではなく、今日の私たちに大きく訴えかけるものを持っている。慈円の歴史観を念頭に、今日の問題を改めて考えてみよう。

まず、終末論的状況に関してである。終末論を持ち出すのは、一見、キワモノ的でSF的発想のように思われるかもしれないが、そうは言えない切実さを持っている。今回のコロナウイルスを、人類はひとまず乗り切ることができるかもしれない。しかし、これで終わりではない。今後、おそらくもっと強力なウイルスが襲いかかってくることは十分に想定される。個人の場合には、高齢者に生命の危険が多いように、人類が全体として体力を弱め、免疫力をなくしていけば、将来も果たして確実に乗り切ることができるかどうかは不確かである。

今日の地球環境の悪化が、このまま続けば人類の存続に関わることは、すでにさまざまな形で警告が発せられている。少子高齢化現象は、人類全体の活力を弱めている。遺伝子操作の危険もまた、広く知られている。出生前診断による障害児の排除や男女産み分けが進めば、人類の多様性が失われて、環境変化に対して弱くなる。自然災害がますます激烈になっていけば、人類全体とは言わないまでも、ある地域に致命的な一撃を加える可能性はきわめて大きい。それらが複合すれば、どれだけ巨大な被害が生まれるか、想定すら難しい。世界各地の戦争や紛争は収まる気配がなく、それを調整する国連の機能もますます制約されている。国家間あるいは社会階層間の経済格差は広がっている。世界終末時計の針は限りなく終末へと向かって進行を早めつつある。人類全体の状況が上昇へと向かう増劫的《ぞうこうてき》な局面から、下降へと向かう減劫的《げんこうてき》局面に入ったということは、十分にあり得ることである。

しかし、そのような状況は、だからと言って直ちに希望を失わせるものではない。危機が深刻になることは、無秩序化して、ニヒリズムに陥ることではない。慈円が賢明にも洞察したように、歴史は上下の波を繰り返しながら次第に下降していくのであって、一気に壊滅するわけではない。百帖の紙が減った時に、それを補う知恵があり、きちんと対応できれば、もちこたえていくことは十分に可能である。それには、終末の危機感を人類全体が共有し、協力して対処していくことができなければならない。

今回の新型コロナウイルス蔓延では、一面では国家や一部の人たちのエゴの突出が顕著に見られたが、他面ではグローバル化した状況の中で、国境を超えてその危機感を共有することで、相互に情報を公開し、共同して対処できる道も開かれつつある。その危機感を今回だけの特殊事例として終わらせるのでなく、それはあくまでも総体的な危機の一部に過ぎないものとして、いっそう共同して対処できなければ、終末は事実となってしまうだろう。

そこでもう一つの問題である、見えざる冥の領域の関与を考える必要がある。福島第一原発の事故後、人々は見えざる放射能の拡散に怯えた。立ち入り禁止地域に近づいても、何が変わるわけではない。ただ、線量計の針が大きく振れるだけである。また、ウイルスは電子顕微鏡のもとでなければ、その姿を見ることができず、どこにウイルスが飛散し、自分自身も含めて、誰が感染しているか、肉眼で確認することはできない。それがいっそう人々を怯えさせる。放射能と危険なウイルスとは、見えざるものとしての共通性を持つ。

しかし、それらは見えざるものであるが、機器を使うことで、その存在を感知できる。それ故、見えるものと見えざるものとの中間に位置する。それに対して、死者や神仏は、機器を使ってもその存在を確認できない。にもかかわらず、その存在を放置することはできない。死者の問題は、近代的世界観においてまったく無視されていたのが、東日本大震災以後、急速に避けて通れない問題として浮上した。コロナ蔓延の際には、感染者の急速な悪化と死亡や、死亡した際の葬儀の困難が問題となっている。死者をどのように世界観の中に位置づけるかは、本書第II部でさらに論ずるので、ここではこれ以上、立ち入らない。

一つだけ補足しておきたいのは、過去の死者とともに、未来のいまだ生まれざる者との関わりである。近代的世界観は現世だけを問題とするので、過去の死者が切り捨てられると同様に、未来のいまだ生まれざる者との関係も議論できない。そうなると、終末論と言っても、私が生きている間に終末に至るのは、かなり可能性が低いから、議論する意味はないことになる。死後に人類に終末が訪れようとも、それはどうでもよいことになってしまう。だが、それで済ませられるであろうか。

死者との関わりが生者にとって不可欠なのと同様に、今度は自らの死後に生まれる者たちとの関係が問われなければならない。自らは死しても、その後の世界の人たちの存続や苦難に目をつぶり、放置することは許されない。放射能であれ、ウイルスであれ、地球環境であれ、今日のツケをどんどん先送りすることで済ませてよいはずがない。だが、実際にはどうだろうか。未来への負債は、確実に増える一方ではないのか。

こうして今や、死後の責任、あるいは死者としての責任が新たに問われることになる。それは、綻びを繕って一時しのぎをして済む問題ではない。自らの死後の世界でも確実に持続できるだけの、長期的な展望が不可欠となる。人類が成長期を過ぎたとしても、むしろだからこそ、ひたむきに進んできた成長期には味わえなかった豊かで満ち足りた日々が可能になるのではないのか。それを、いまだ生まれざる未来の者たちに遺していくことが、今の生者の責任ではないだろうか。

間奏の章　思想史／哲学史の変革——西洋近代から世界哲学へ

1 『世界哲学史』の挑戦

ちくま新書として刊行された『世界哲学史』は、二〇二〇年に第一巻が刊行され、一カ月に一冊という驚異的なスピードで、同年八月には全八巻が完結した。その後、同十二月にはダメ押しともいうべき補巻まで出された。編者であり、かつ多くの章を執筆した、伊藤邦武・山内志朗・中島隆博・納富信留の四名の精力的かつ充実した活動には驚嘆しないわけにいかない。

二〇二〇年に実質的な活動を開始した未来哲学研究所は、『世界哲学史』の編者のうち三名の参加を得て、おのずから『世界哲学史』以後の哲学をどのように開拓していくことができるか、ということが、最初から大きな課題となっていた。『世界哲学史』に直接つながる活動は別途に企画が進行しているということであり、ここでは問題にしない。私たちにとっての最大のテーマは、『世界哲学史』が過去の哲学史の総決算であったのに対して、『未来哲学』創刊号（未来哲学研究所、二〇二〇年一月刊）の対談で中島・納富両氏が語っているように（「『哲学の未来』っていったい？――思考を更新するための条件をめぐって」）、今度はそれを前提として「哲学の未来＝未来の哲学」をどのように切り開いていくことができるか、ということに集中される。

この問題に対して、私自身、もっと早くに私なりの視点を提出して、議論の糸口を作るべきであったが、力不足で延び延びになっていた。膨大な『世界哲学史』の成果を、短時間ではこなしきれず、ましてその先の「未来」へ向けて、十分に自分の考えが整理できないままに、時間が経過してしまった。いまだ『世界哲学史』の全体をきちんと読み込んでいるわけではないが、その一部分でも受け止めて、粗雑ではあっても私見を示すことで、議論のたたき台としていただきたい。

もちろん哲学の議論を展開しようとするならば、そもそも「過去」と「未来」を簡単に切り分けること自体が疑問視されなければならず、中島・納富両氏の対談に語られているように、「時間」という途方もない問題に投げ込まれることになる。「時間の始原」というビッグバン的な問題を念頭に置きつつ、とりあえずの戦略的な始原を『世界哲学史』に求めて、その中からいくつかの問題を掘り出すことから出発したい。未来は過去の中にある。

世界哲学、あるいは世界思想を全体として描き出そうという試みはこれまでもさまざまな形でなされており、比較的最近では、中村元の『世界思想史』全四巻がもっとも広く知られている（以下、人名に敬称は略す）。中村の構想はヴァージョンによって次第にテキストが膨張していくが、最終的な形は『中村元選集〔決定版〕』別巻一—四巻（春秋社、一九九八—九九年）に示されている。中村の巻立ては、古代思想・普遍思想・中世思想・近代思想となっており、普遍思想に一冊が充てられているのが特徴である。これは、ヤスパースの言う「軸の時代」から、紀元前後のヘレニズム期あたりまでを含むもので、この時代を重視するところに、中村の世界思想史観がよく表われている。

中村の仕事は、個人で成し遂げた巨大なものであるが、それだけに孤立した仕事として、必ずしも学会の共有財産とはならず、これまで十分に議論されることがなかった。それに対して、今回の『世界哲学史』は、納富の言う「専門哲学」(「世界哲学のスタイルと実践」別巻所収)の研究者が多数参加することで、今や問題意識が広く共有されることになったことの意味は大きい。

ここで先走らずに、以下の検討の前提として、『世界哲学史』全八巻の構成をざっと見ておこう。各巻はおおむね時代順となっている。

第1巻「古代Ⅰ　知恵から愛知へ」　紀元前八世紀―前二世紀
第2巻「古代Ⅱ　世界哲学の成立と展開」　紀元前一世紀―後六世紀
第3巻「中世Ⅰ　超越と普遍に向けて」　七―十二世紀
第4巻「中世Ⅱ　個人の覚醒」　十三世紀
第5巻「中世Ⅲ　バロックの哲学」　十四―十七世紀
第6巻「近代Ⅰ　啓蒙と人間感情論」　十八世紀
第7巻「近代Ⅱ　自由と歴史的発展」　十九世紀
第8巻「現代　グローバル時代の知」　二十世紀

各巻には、地域の対照年表と人名索引が付されているが、とりわけ対照年表は、同時代の各地域を比較できる点で便利である。このような年表は、マッソン・ウルセル

『比較哲学』（一九二三年。小林忠秀訳、法藏館、一九九七年）以来、さまざまな形で試みられてきたが、本シリーズの場合、本文との対応関係が知られるという点でも、有益である。

この巻構成を見ただけでも、中村の『世界思想史』の構図とずいぶん異なっていることが知られる。古代・中世・近代という三期区分に現代を加えた構成はひとまず穏当ではあるが、中世にもっとも多くの巻数が割かれ、時代的にも十七世紀までを中世に含めるのは、かなり大胆である。この点は後ほど少し考えてみたい。

この全八巻が完結した後で、別巻（副題「未来をひらく」）が刊行され、全八巻で論じ残した問題を取り上げている。その第一章は、編者の山内・中島・納富による座談会で、全八巻を振り返っており、全体の意図や大枠を知るうえで有益である。

もちろんここで、別巻を含めて全九巻の全体にわたって論ずることはとても無理であるし、また全体を薄っぺらに取り上げたところで意味はないであろう。そこで、以下では主として全体に関わる方法論的な問題を取り上げて、多少の検討を試みたい。

第一に、「世界哲学」というとき、何を「哲学」と呼ぶのかという判断が問われる。「哲学」の定義、あるいは、西洋から世界に広がったことによる再定義が問題となる。第二に、具体的に諸地域の哲学を較べていくとき、それらは必ずしも同時代的に進行していくわけではない。そのような地域差と時代区分をどこまで統合的に捉えられるか、という問題が考えられなければならない。もちろん、これらの問題は必ずしも厳密さを要するわけではない。逆にある程度のルーズさがなければ、世界全体を見渡すということは不可能である。そのようなアバウトさを承知の上で、それでもある程度、問題を明確化していくことは不可欠であるように思われる。

それらの問題を考える際に、粗雑ではあるが、私自身が関わってきた問題や最近の関心に基づいて、いささか私見的なものを加えていくことをお許しいただきたい。『世界哲学史』以後に哲学を構想するには、ある程度臆面もなく、個人的なアイデアを提示していくことが必要と思われるからである。

2 「哲学」の定義――何が哲学で、何が哲学でないか

定義ではなく指標として

『世界哲学史』は、必ずしも正面から「哲学」の定義に関する議論を行なっているわけではない。第1巻の序章で納富は、「どの思想であれ、世界の人々の間で哲学として論じられるには、普遍性と合理性が必要となる」（第1巻、一八頁。以下、①一八頁と記す）と述べており、普遍（universal）と合理（rational）を哲学として認められるための二つの指標としている。

あるいは、第8巻の終章で、シリーズ全体を総括した伊藤は、「現代というグローバル時代において、世界規模での哲学が可能なのかと問うことは、まさしく、世界規模での『世界と魂』への問いはいかにして可能なのか、という問題になるはずである」（⑧二八五頁）と、「世界と魂」ということを哲学の問題として提示している。

納富が挙げる「普遍」と「合理」は、方法論的な指標であり、伊藤が挙げる「世界」と「魂」は内容的な指標ということができる。後述のように、「魂」ということには疑念があるが、ともあれここでは、この二つの方向から提示された二組のセットが、きわめて重要であることを、まず念頭に置いておきたい。

「哲学」の定義など、どうでもよいように思われるし、実際、かつて『岩波哲学・思想事典』（一九九八年）の編集に加わった際にも、最初の案では「哲学」という項目が立っておらず、だいぶ進んだ段階で、私がぜひ入れてほしいと提案して、加えられたいきさつがある。西洋哲学を当然のこととして前提とするならば、哲学の誕生はギリシア哲学の誕生に他ならず、改めて定義を必要とする問題ではなかった。ちょうどキリスト教のみが宗教であった時代に、改めて宗教を定義する必要がなかったのと同然である。

ところが、キリスト教以外にも宗教らしいものがあり、それらが決して悪魔による迷妄とは言えなくなると、改めて「宗教」とは何かが問われなければならなくなった。それと同じことが、「哲学」に関しても起こってきたのである。仏教と日本思想をベースにして、哲学的な問題に進もうとしてきた私にとって、自分の営為を「哲学」と呼べるかどうかは、ずっと悩み続けた問題であった。それでも、自分の営為を「哲学」として位置づけることに踏み切れたのには、本シリーズ『世界哲学史』の共編者の一人、中島隆博が、中国哲学から出発しながら、「哲学」の最先端に挑んできたことが大きな勇気を与えてくれた。

もっとも私としては、自分の営為を「哲学」として捉えながらも、全面的に「哲学」に入り込むのには躊躇があり、過去の思想に関しては、「哲学史」ではなく、「思想史」として捉えるという重層的な方法論を用いてきた。そのことは、『日本思想史』（岩波新書、二〇二〇年）を出した際に、それに関するエッセーとして、「なぜ日本思想史であって、日本哲学史でないのか？」（Web 版新書余滴 https://www.iwanamishinsho80.com/post/nihonshisoushi）に記した。また、『冥顕の哲学』1・2（ぷねうま舎、二〇一八、一九年）でも随所で取り上げ、とりわけ、『冥顕の哲学2 いま日本から興す哲学』の第一章「日本発の哲学——その可能性をめぐって」で、諸説を挙げてかなり詳しく論じたので、ここでは再説しない。

ただ、先に触れた『岩波哲学・思想事典』の「哲学」の項で、渡邊二郎が次のように述べているのは、以下の考察とも関係するので、触れておきたい。

むろん、哲学を広く〈人生観〉（Lebensanschauung）および〈世界観〉（Weltanschauung）の全般にわたる諸思想の意と解すれば、それが古くから東洋でもインド・中国・日本において仏教・儒教・道教その他の諸思想となって展開されてきたことは言うまでもない。けれども現代においては、とりわけ西洋哲学に由来する厳格な論理性において追究される、統一的全体的な人生観・世界観の〈理論的基礎〉の知的探究が、哲学の根本性格を成すものと世界各国で考えられていることは、間違いのないところであろう。

（『岩波哲学・思想事典』一一一九頁、拙著『冥顕の哲学2』三二頁参照）

ここでは、「世界哲学」を含む広義の「哲学」と、西洋のみに由来する狭義の「哲学」とが分けられ、後者のみを本来の「哲学」と認める典型的な発想が見られる。それはさておき、「人生観」と「世界観」の二つを哲学の内容的な指標としていることは注意される。これは、先の伊藤の挙げる「世界と魂」という二項目とも関係することで、後ほど検討したい。

それでも「哲学」と呼ぶには違和感がある

第1巻は、まさしく「世界と魂」ということをテーマに、古代のさまざまな伝統を取り上げ、そこには第3章「旧約聖書とユダヤ教における世界と魂」も含まれる。旧約聖書に「哲学」があるのだろうか。従来の哲学史には、旧約聖書は含まれず、それはむしろ宗教史の課題であった。

本章の執筆者、高井啓介もその点を素通りできず、「『哲学』をフィロソフィア（philosophia）とするならば、……古代イスラエルには存在しなかったと言えるのだろう」（①八三頁）と留保を付けた上で、「しかし『哲学』が始原（アルケー）に対する問いを含んでいるとするならば」（同）という条件のもとで、旧約聖書における「始原」の探求へと歩を進める。この「始原」ということも念頭に置いておく必要があろう。

そのユダヤ的伝統の中で成立した初期のキリスト教の問題になると、いっそう「哲学」と言えるかどうかが疑問になる。従来の哲学史では、キリスト教成立期のイエスもパウロも出てこないままに、いきなり教父哲学が登場してきて途惑うことが多かった。ヨーロッパの伝統の源泉は、ヘレニズムとヘブライズムだと言いながら、哲学はヘレニズムの伝統につながりこそすれ、ヘブライズムの源泉は問われず、中途でよそから入り込む奇妙な「内なる他者」的な何ものかであった。

ところが、本シリーズでは、第2巻に大胆にも第3章「キリスト教の成立」の章が立てられている。執筆者の戸田聡は、旧約聖書以上に強い違和感をいきなり表明する。すなわち、『『世界哲学史』の中で『キリスト教』という宗教が独立の章立てで扱われることに、違和感を覚える読者がいるだろうか」(②六三頁)という問いに始まり、「違和感を覚えない読者がいても不思議でない」としながらも、「筆者自身はどうかと問われれば、前者(違和感を覚える読者―引用者注)に与したい気がする」(同)と、率直に述べている。

戸田が言うように、哲学の始原が「神或いは超越者を極力引き合いに出さずに窮理を目指す知的営み」(同)であるならば、「哲学と宗教の間には画然たる一線が引かれるべきだ」(同、六三―六四頁)というのももっともである。今まで「宗教」やら「神」やらを排除してきた「哲学」から、いきなり「お前も哲学の仲間に入れてやる」と言われたところで、いかにも怪しげで、警戒されるではないか。それ故むしろ、「古代キリスト教の歴史とはまさに、哲学と宗教の間《あわい》(原注略)が再三問われた歴史だった」(同、六四頁)と見るのが適当であろう。

この「宗教」と「哲学」、あるいは「信」と「知」、ひいては「神学」と「哲学」の葛藤と序列化は中世から近世まで続く(⑤第5章「西洋における神学と哲学」、大西克智)。

「哲学」は「哲学」ならざるものとの相克の中に展開することになる。つまり、西洋においても、「哲学」は根本知として、ずっと歴史的に安定して持続していたわけではない。むしろ「哲学」が諸学の王座の地位に上《のぼ》るのは、フランス革命において理性が神に代わって祭壇に祀られることによってだったと言ってもよい。

このように、西洋の枠の中でも、「哲学史」を論じようとすれば、哲学ならざるもの、哲学の外、を考えなければならないということである。本シリーズは、そのような非哲学をも包括することで、すでに「哲学史」をはみ出している。まして、非西洋地域に「哲学」なる網をかけようとするとき、「哲学」の概念はどうなってしまうのであろうか。

おそらく可能性としては二つの方向がある。一つは、「哲学」の網を西洋に限らず、非西洋地域にも広げ、何でも「哲学」の中に包摂して捉えこもうという方向である。これは哲学の帝国主義とも言うべきであり、そんなことをされたら迷惑この上もない。とすれば、もう一つの道は、逆に従来の「哲学」はもう限界だと白旗を掲げて既存の領地を明け渡し、非哲学をも含めた「哲学」の定義を白紙から造り直そうという方向である。いわば哲学の革命である。と言えば恰好はいいが、シニカルに見れば、もはや「哲学」の枠を造ることができず、何でもありと投げ出してしまうようにも見える。別に「哲学」でなくてもいいではないか。なぜ「思想」ではいけないのか。それでも「哲学」にこだわるのは何故なのか。そこから問われなければならなくなっている。

「哲学」を暫定的に定義する

今日、「哲学」に執着する必要がどこにあるのだろうか。例えば、かつてはアカデミズムの王道の一つの分野に美学・芸術学というのがあった。しかし、今日、そもそも「芸術」の「美」などということ自体が成り立たなくなっている。「現代アート」と呼ばれる領域を、旧来の美学に押しこむことは、ほとんど不可能であろう。

あるいは、「宗教」もまた扱いの困難な領域となっている。もともとキリスト教をモデルにして、それを広げる形で「宗教」の概念は世界の諸宗教を包括するものとなり、それを扱う学として宗教学が成立した。だが、「宗教」はどのように定義され、その外延はどのように確定されるのかというと、ますます曖昧になっている。民間の習俗がどこまで宗教と呼べるのか。あるいは、今日「〇〇の科学」とか「倫理〇〇会」

などと呼ばれる集団が、宗教の枠に入るのかどうか。さらにはスピリチュアルやオカルトはどうなるのか。

私自身に即して言えば、仏教学から出発しながら、同時に宗教学会にも所属して活動してきたが、どうしても「宗教学」の枠の中に収まりきれない居心地の悪さをずっと感じてきた。仏教は、宗教とも言えるし、哲学とも言えるが、またそのような特定の学問の範疇に収めこもうとすると、「それだけではない」という部分が常に残ることになる。西洋のように、「知」と「信」、「哲学」と「宗教」がはっきり分かれて対となるわけではない。仏教は仏教なのだ。もっとも、だからと言って、もちろん「宗教」や「哲学」という範疇が無意味になるわけでもない。

かつて、いわゆるポストモダンが流行し、フランスのさまざまな現代潮流が流入したとき、それらを「哲学」の中に収めきれず、「現代思想」として括り、雑誌『現代思想』が時代をリードした。大学においても「哲学」は不人気が続き、「哲学科」の名称は次々と廃せられた。東京大学においても、「中国哲学」は「中国思想文化学」に衣替えした。その時代に較べて、今は再び「哲学」が復権しつつあるようである。何故であろうか。

ここで、先に指標として挙げた「哲学」の内容を振り返ってみよう。渡邊二郎によれば、広義の「哲学」は、「広く〈人生観〉（Lebensanschauung）および〈世界観〉（Weltanschauung）の全般にわたる諸思想の意」であった。あるいは、『世界哲学史』のテーマに即して言えば、「世界と魂」ということであった。もう少し一般化して言えば、「世界観」と「人間観」というほうが分かりやすいであろう。

どうしてこの二つが中心的なテーマとなるのであろうか。仏教的に言えば、この二つは「依報《えほう》」と「正報《しょうほう》」としてセットとされる。「依報」は「正報」が生きる場であり、世界、あるいは環境に当たる。それに対して、「正報」は「依報」において生きる主体であり、ひとまず人間と捉えてよいであろう。このようにセットとして考えれば、「世界」と「人間」は、たまたま偶然に二つのテーマが並んだわけではなく、生きる主体と生きられる場という必然的に関連する二つの要素であることが分かる。

いくらか補足的に説明を加えておこう。まず、この場合の「世界」は、『世界哲学史』と言われる場合の「世界」とは異なり、地理的なグローバル空間の意ではない。生きられた場所としての「世界」は、いわば後期フッサールの言う「生活世界」であり、ハイデガーが「世界内存在」として人間を捉える際の「世界」であり、西田哲学的に言えば、「於いてある場所」である。もちろん、そのことはグローバル空間としての「世界」や、ひいては宇宙をも「世界」として捉えることを排除しない。あるいは、社会や国家もまた「世界」たりうる。私たちが、どのような「世界」で生きているのか、「世界」をどのように捉えたらよいのか。それが古来の哲学の根本問題であったというのである。

ところで、「世界」が「世界」として成り立つためには、その「世界」で生きる主体がなければならない。この主体をどのように捉えたらよいのか。狭く言えば、それは「私」という個の中に凝縮される。「私」とは何かという形で問題が提起されることもある。それは典型的にデカルト的なコギトに示される。だが、「私」という個の中に閉じこもろうとすると、それは独我論に陥り、無世界論にさえなりかねない。実際には、「私」は常に「他者」に開かれ、他者と共なる「世界」という「場所」において生きられる。

生きる主体は、「私」だけではない。その主体が何なのかが問われる。それは、仏教的に言えば「衆生」であって、「人間」に限らないが、ひとまずそれを「人間」というところで押さえることで、主体としての「人間」が哲学のもう一つの問題となる。

それ故、ここで言う「人間」は、科学的に解明されるヒトをも含みつつ、それに限られない。他者と共なる「私」という主体の多様なあり方と言ってもよい。主体は個的に凝縮されるだけでなく、家族・企業・国家や人類のような集団であることもある。

その際、『世界哲学史』では、それを「魂」として捉えているが、それに対してはいささかの疑義がある。人間は魂なのか。私は魂なのか。そういう捉え方もあるかもしれないが、いささか限定し過ぎではないだろうか。人間を心身的存在として捉える仕方もあるかもしれない。仏教のように、無我説をとり、「魂」を否定する見方もあり得るであろう。「魂」と言ったとき、すでに人間、あるいは主体をある限定のもとに押しこめてしまわないか。まして、主体が集団である場合、「魂」ではうまくないであろう。「大和魂」や「ゲルマン魂」をそのまま認めるのにはいささか問題もあろう。それ故、哲学の根本問題は、「世界と魂」ではなく、「世界」と「人間」（広い意味で、「生きる主体」として）と見るべきであろう。

このように見れば、今日なぜ改めて「哲学」に光があてられるようになっているのか、その理由は明白である。今日、「世界」も「人間」も混乱の中にあり、誰も確固とした世界観・人間観を持つことができない。私たちはどのような世界で生きていて、そこでどのように生きるべきであろうか。過去の叡智は、その問題をどのように考えてきたのかを知りたい。そして、今日という状況において、私たちの生き方を確立したい。そのような欲求が、哲学への注目となっているのであろう。哲学はその要求に答えなければならない。

このように、哲学の対象が明白になれば、今度は哲学の方法が問われなければならない。先にその指標として、「普遍」と「合理」ということが挙げられていた。また、渡邊の定義では、「厳格な論理性において追究される、統一的全体的な人生観・世界観の〈理論的基礎〉の知的探究」と言われていた。今日では、それが決して西洋だけのことでないことが分かっているので、その点は修正を要するが、ここで言われている「論理性」、「統一的全体的」、「知的探究」などというキーワードは、かなりの程度で「哲学」の根本的な性格を表わしているように思われる。

ここで、「合理」、「論理性」、「知的探究」などという言葉は同じ方向を示している。何よりも、「哲学」は言語で表現されることが基本である。ソクラテスや孔子のように、必ずしもその言語は書記言語でなく、口頭言語であるかもしれない。さらには「不立《ふりゅう》文字《もんじ》」の禅者や、キリスト教の隠遁者、あるいはディオゲネスのように、生き方そのものによって知恵ある哲学者と見られる場合もあるかもしれない。また、「論理性」と言っても、「即非《そくひ》の論理」のように、矛盾を認める論理もあるかもしれない。

そのような周縁的な多様性を認めながら、いわば合理的に「明晰判明」を求めようとする知的営為であるところに、「哲学」の方法があると考えてよいのではないだろうか。それ故、それは言語を使っても、詩的な表現からは区別される（もちろん詩的でありつつ、哲学的であることも可能であるが）。そのような論理性、合理性を持った言語使用が「知的探究」である。

「知」が論理性、合理性を特徴とするとすれば、それは感情や情念とは区別される。それを知性とか理性ということもあるが、厳密に定義しようとすると、特定の潮流との結びつきが大きいので、ここではあまり「厳密な」ではなく、漠然とした用語として「知」と言っておこう。また、知的であろうとするのは方法論上の態度であって、その対象は「世界」や「人間」のすべてにわたるから、扱う対象は知的である必要はない。感情や煩悩もその対象となり得る。

その「知」は多様であり得る。ソクラテスは「知」ではなく、「無知の知」に基づく「愛知」を提唱したが、その立場だけが「哲学」を独占するわけではない。ソフィストたちの「知」の探究も十分に哲学的である。その「知」にレベルが立てられることもある。仏教では、知的判断を含む分別知は低い次元のものとされ、上級の知は分別を超えた無分別知であるとされることもある。そのような「知」は「智」とか「智慧」などと表記され、通常の「知」と区別される。あるいは「叡知」とか「叡智」と言われることもある。「哲学」はそのような「智」を排除するものではない。

自覚的に「知」が求められるのではなくても、例えば感情には感情の論理があり、それを取り出すこともある程度は可能である。狭義の哲学に含まれない、さまざまな活動も「哲学」を含むことがあり得る。先に触れたように、生き方そのものが「哲学」である「哲人」もいるであろう。その場合、その活動が知的次元に投影されることで、「哲学」としての「知」の性格が保証されると考えられる。

ところで、「知」の活動であれば、すべてが「哲学」というわけではない。個別科学は「哲学」であり得ることもあるが、多くは「哲学」とは区別される。それでは、「哲学」の「哲学」たる所以はどこにあるのであろうか。先に挙げた指標にあっては、「普遍」ということが挙げられよう。今日でも「哲学」は普遍的に通用しなければならないと考えている人もいる。しかし、古今東西の多様な「哲学」があり得るとすれば、そこに直ちに「普遍」性を求めるのは困難であろう。

しかし、別の意味では「普遍性」が成り立つことが考えられる。それは個別的な問題にだけ該当する理論でなく、あらゆる問題に適用できるという意味での「普遍性」である。渡邊の定義では、「統一的全体的」と言われていたことである。もちろんある公式を適用すれば、あらゆる問題が解決するなどということは夢想でしかない。そうではなく、私たちが生きる「世界」の基本構造を明らかにする、という意味である。「世界」の中の個別的な経験的事象を説明するのではなく、メタ次元において「世界」そのもののあり方を問う、ということである。カントからフッサールに受け継がれた用語で言えば、「超越論的」と言われるものに当たる。

「超越論的」なレベルで問われる世界と人間の問題は、個々の経験的事象と異なり、実証的な検証によって真偽を確定することができない。むしろ実証とか真偽などということが何なのかが問題となる。それ故、それはある意味では形而上学的とも言える。先に挙げたキーワードでは、「始原」と言われていた。禅的に言えば、「父母《ぶも》未生以前《みしょういぜん》」ということになる。時間的な譬喩を使えば「始原」であり、空間的な譬喩を使えば「根源」と言うことになるであろう。その「始原」、「根源」は、場合によっては超越的存在に関する思惟も含み、それ故、広義の「哲学」は「神学」をも含むことになる。

個々の「哲学」は直ちにすべての問題を扱うわけではなく、その扱う対象によって、宗教哲学、科学哲学、政治哲学、倫理学など、それぞれ名称が付される。ただ、いずれの問題を扱っても、既存の枠の中で個別事象を扱うのではなく、その枠そのもののあり方を問うのであり、その領域が成り立つ根拠や、それが総合的な人間の「知」においてどのような位置に立つのかを問うのである。

いささか抽象的な議論となり、下手をすれば、あまり意味のない空理空論となりかねない。しかし、「世界哲学」の名のもとに、何が「哲学」として取り上げられるかという基準は、蓋然的で暫定的であっても、ひとまず決めておかなければ、何でもありになってしまう。その基準は、以上の議論から次のようにまとめることができるであろう。

「哲学」は、「世界」と「人間」に関する「知」であるが、個別的な事象ではなく、総合的であるとともに、始原的・根源的にそのあり方を問う学である。その際、必ずしも自覚的に「哲学」であることを意図していなくても、このような視点から評価し得るものは、「哲学」として取り上げられる。

このように見れば、原始キリスト教であれ、道元であれ、それらを「哲学」という面から見ることは可能である（別巻「道元の哲学」、頼住光子を参照）。もちろん、それらの思想自体が「哲学」を意図したものではなく、例えば道元に関して言えば、あくまでも本筋は仏道の実践であることを押さえておかなければならない。その思想を「知」の平面に投射することで、「哲学」と見ることができる側面があるというのである。その点を無視して「哲学」が突っ走るならば、哲学の暴力、哲学の帝国主義に陥る危険を十分に認識しておかなければならない。道元がどのような時代性の中で、どのような伝統を引き受け、何を意図してその思想を構築したのか、その点をきちんと位置づけることをしないで、道元の「哲学」を孤立させて取り上げることは、きわめて危険で、誤解を招くことになる。その点、十分な注意が必要である。

3　時代区分と地域性

西洋中心主義なのか？

『世界哲学史』は、世界の諸地域の「哲学」に目配りしながら、時代的な進展を追う。しかし、それが十分に西洋中心主義を脱しているかというと、そうは言えない。各巻が扱う章の数を地域別に数えてみると、次のようになる。

①　西洋4　西アジア2　インド1　中国1　西洋・インド1　総説1
②　西洋3　西アジア3　インド1　中国2　西アジア・西洋1
③　西洋5　西アジア・イスラーム2　インド1　中国1　日本1
④　西洋6　ユダヤ教1　イスラーム1　中国1　日本1
⑤　西洋6　中国1　朝鮮1　日本1　西洋・東アジア1
⑥　西洋7（以下、アメリカを含む）　イスラーム1　中国1　日本1

⑦　西洋8　インド1　日本1
⑧　西洋4　イスラーム1　中国1　日本2　アフリカ1　その他1

以上のように、西洋に圧倒的に多くの章を割いている。3巻まで、やや西洋が少なそうだが、実際には西アジアの動向はキリスト教を含めて西洋と深い関係にあるものも多いので、そこまで含むと、結局、広域的な西洋哲学史を中軸として、そこに多少イスラーム、インド、東アジアを加えたものと見ることができる。

『世界哲学史』と称するのに、いささか羊頭狗肉の感がないわけでもないが、直ちにそれを否定的に見るべきではない。諸地域を平板に並べればよいというものではない。これまでの哲学史が西洋だけに終始していたのに対して、多少なりとも南アジアや東アジアを加え、ウイングを広げたことの意義は決して小さくない。

かつて、一九六〇―七〇年代に『世界の名著』（中央公論社）や『世界の大思想』（河出書房）のシリーズが出て、哲学・思想の名著が多く翻訳で読めるようになったが、「世界」と称しながら、その多くは西洋のものであった。『世界の名著』は、全八十一巻中、インド・中国関係は十一巻であった。『世界の大思想』のほうは、全四十五巻中、アジアのものは、古代中国・仏典・毛沢東各一巻が含まれているのみであった。それでも、とりわけ『世界の名著』のアジア関係の巻は、当時アジアの思想に関心を持ちはじめた私にとって宝物であった。

今回の『世界哲学史』シリーズもまた、アジア関係は決して多くないが、それが加わることで、従来の西洋に閉鎖された哲学史とは大きく様相を異にすることになった。それは「世界哲学」を考える上で、二つの意味がある。

第一に、モデル、あるいは物差しの提供ということである。標準となる西洋についてて詳しく論じておけば、それを基準として他地域を捉えていくことができる。西洋に関して、多様に哲学が展開した様相を、線あるいは面として描き出しておくならば、他地域は点描しておくだけでも、描かれなかった部分は後で補っていくことができる。もちろん、西洋ではなく、他地域を基準とすることもあり得ないわけではないが、これまでもっとも研究の進んでいる西洋を基準とするほうが、受け入れやすく、現実的であろう。

第二に、西洋を中心としながらも、西洋を閉ざされ、完結した哲学世界として見ているわけではないことが指摘される。西洋は常にその周縁に他者を持ち、他者と関わり、他者を摂取しつつ、その他者を敏感に差別化し、排除することによって、自己正当化を図ってきた。その他者は、東方教会であり、イスラームであり、ユダヤ教であり、後には他者としての東アジアとも接触することになる。それ故、西洋哲学史はそれ自体ですでに世界哲学史なのである。それは、決して西洋が普遍性を持つからではない。むしろ逆に西洋が自立したものではなく、常に周縁の他者との深い関係なくして存続し得なかったからである。本シリーズは、とりわけ古代・中世において、その中心と周縁のダイナミズムをかなりの程度明らかにしている。

たしかに、一見すると西洋・イスラーム・インド・中国などは、それぞれが別個の伝統として自己充足しているようである。しかし、それらは必ずしもそれぞれ孤立しているわけではない。例えば、①10章「ギリシアとインドの出会いと交流」（金澤修）に描かれるように、文明間のダイナミックな出会いによって、哲学の世界は相互の交流を持ち、文明間にまたがって広がり、相互に刺激しあうものであった。中世においてもインドはムガール帝国時代にイスラームの支配を受けることで大きく変質したし、中国もインドから仏教を受け入れることで、その思想の自立性は大きく揺らいだ。それ故、世界哲学史は、孤立した別々の伝統を並列することによって成り立つのではなく、複数の中心を持ちながらも、それぞれの円が周縁で重なり、浸潤しあう形で、総合的に進展していると見るべきである。近代になってグローバル化したのではなく、じつは最初からグローバルでしかあり得なかったと考えられる。そして、その中の一つの中心である西洋に軸を置いて、全体を見渡すということは、ひとまず一貫した方法ということができる。

このように、西洋を中心として世界哲学を論ずることは、それはそれで十分意味のあることである。ただ、そのために他の伝統に関しては、いわば予告編のような形でさわりだけが記され、全体像が必ずしも明らかでないことは、頭に入れた上で見ていくことが必要である。中国に関しては、とびとびとはいえ、一応古代から現代まで、ある程度の見通しを得ることができるであろう。しかし、インドに関しては、第2巻は大乗仏教であるから、それを除くと、第1巻と第3巻に出るのみで、そこからいきなり第7巻の近代に跳んでいて、さすがにこれでは豊かなインド的世界の魅力は十分に伝わらないように思われる。

中世再興

ところで、本シリーズがこのように西洋を中心としながら「世界哲学」を描き出そうとしたとき、従来の哲学史と大きく異なる戦略は、近代ではなく、中世に中心を置くということであった。巻数でも、古代・近代が二冊ずつであるのに対して、中世には三冊が充てられている。もっとも第5巻は近世に当たり、収録された論考は、従来ならば多くは近代に含められていたものである。

哲学史における古代・中世・近代の三区分は、おそらくヘーゲル以後、十九世紀に一般化したものと思われるが、何よりも現代に近い近代がもっとも中心に考えられ、古代は哲学の源泉として重視されるものの、中世は神学の優位のもとに、哲学の停滞期として捉えられるのが一般的であった。『世界哲学史』の中世の責任編者である山内志朗が指摘するように、「『中世』という概念は、ギリシアとローマに展開した古典古代と、それを復興したルネサンスの時代に挟まれた『中間の時代』、文化の途絶えていた時代という意味だった」（③第1章「普遍と超越への知」一三頁）のである。

例えば、明治以後の日本で、もっとも標準的な西洋哲学史として長い間読み継がれた波多野精一『西洋哲学史要』（一九〇一年。全集第一巻、岩波書店、一九六八年）は、古代約百二十頁、中世約三十頁、近代約二百頁という配分になっていた。近年の最大の西洋哲学史のシリーズである『哲学の歴史』全十二巻＋別巻（中央公論新社、二〇〇七―二〇〇八年）は、古代二冊、中世一冊に過ぎない。もっとも第四、五巻はルネサンスから近世に充たり、『世界哲学史』では中世に属することになるが、それにしても、それらと較べて本シリーズでは中世の比重が大きく、それが一つの特徴と言うことができる。

　中世の蔑視は哲学史のみならず、一般の歴史でも長く常識化して、暗黒時代のように見られていた。それが大きく転換したのは、アナール学派による生活史や精神史の分野の開拓によるところが大きかった。彼らの努力で、中世の人々の躍動的な姿が明らかになってきた。それとともに、近代と言われるものが生活の分野にまで浸透してくるのは、十八世紀も後半になってからであると考えられるようになってきた。そこから、中世を長くとる見方が一般化してきている。ジャック・ル＝ゴフは、中世を「古代後期（三―七世紀）から十八世紀半ばまで及ぶ」ものと見ている（『時代区分は本当に必要か？』菅沼潤訳、藤原書店、二〇一六年）。

哲学の分野では、エティエンヌ・ジルソンによってデカルトの中世的性格が明らかにされたことが、中世の再評価の大きな転機となったと考えられる。本シリーズにおける中世再評価もその流れを汲むものと言えようが、その圧巻は、何といっても十三世紀を扱った第4巻であろう。山内は、「十二世紀が成長の世紀であり、十三世紀は西洋中世の最盛期である」（④第1章「都市の発達と個人の覚醒」一四頁）と指摘する。山内得立《とくりゅう》の話を山田晶《あきら》が紹介し、それをまた松根伸治が引用しているもののさらなる孫引きで恐縮だが、「西洋の古来の思想はことごとくいったんこの（トマス・アクィナスという――末木注）湖のなかに流れこみ、そこで濾過され、清められて、またいくつかの細流となって、近世のほうに向かって流れてくる」（④第5章「トマス情念論による伝統の理論化」一二九頁）という譬喩が、きわめて適切に表現しているように思われる。

中世を高揚期として捉え直すことは、必然的に近代の地位の低下につながる。近代を二冊で論じようというのは、別に現代の巻があるとしても、あまりに圧縮し過ぎで窮屈の感がないでもない。ただ、近代に疑念が持たれるようになった今日、もう一度そのもととなる中世に目を向けるというのは、十分にあり得る道であろう。

近代は、私たちが生きている現代に直接つながる時代であり、私たちのあり方と連続している。私たちは近代そのものの中で生きている。それ故、それを他者として切り離すことは難しい。それに対して、中世はそこから切り離された時代であり、時間的に見られた他者である。私たちの生きている近代が西洋近代につながるものとすれば、空間的な他者は非西洋の諸地域であり、時間的な他者は中世である。『世界哲学史』が既存の図式から免れようというのであれば、非西洋地域の哲学に目を向けるのと同様に、中世の再評価に向かうのも不可避であったと思われる。『世界哲学史』が平板な諸思想の羅列に終わらないためには、他者を簡単に自己と同化するのでなく、他者を他者として異質なものと見た上で、捉え直すことが必要である。

私自身は狭い日本思想と仏教学の枠の中で研究をしているが、それでも中世を他者として見る視角はきわめて重要と考えている。かつて鎌倉新仏教中心論の全盛であった時代には、中世仏教をそのまま近代につながるものと見て評価した。今日、そのような見方は不可能となり、中世仏教は安易な自己との同化を拒む、他者としての中世人の営為として見直すことが必要になっている。中世の再評価は決して単純な中世賛歌ではない。

近世の曖昧さ

ところで、『世界哲学史』の中世の捉え方のもう一つの大きな特徴は、従来「近世」とされ、近代と結びつけて考えられていた時代を、第5巻「中世の哲学Ⅲ　バロックの哲学」として中世に収めたことである。これは、十七世紀のデカルトが出現する時代であり、従来の見方では、デカルトこそ近代哲学の父とされてきた。上述のように、デカルトを中世と結びつけることは認められるとして、直ちにその時代を中世に属させてよいものであろうか。

同巻の「はじめに」で、山内は「世界史全体を見渡した場合、中世と近世という時代区分は妥当なものであろうか」（⑤一二頁）と問いかける。山内はさまざまな疑問を提示するが、決定的な結論を下しているわけではない。それでもあえて「近世」を「中世」に組みこもうというのは、「近世は光をもたらしたと言えるのか。二度にわたる世界大戦と FUKUSHIMA の後で、我々は強くそう思う」（同、一三頁）という強い問題意識による。今や近世から近代へとつながる中に進歩を見出すことはできない。「中世に黄金期を設定する者からすれば、近世以降は衰頽と没落の過程」（同、一二頁）

とも見られ得るというのである。

ここで注意されるのは、「近世」という時代区分が、地域において異なる適用がなされるために、いささかややこしくなっている点である。西洋史においても古代・中世・近代の三区分に加えて、近世を用いる場合があるようであるが、東アジアにおける「近世」はそれとは独立に、日本の中国史や日本史の研究者によって長く議論されてきた時代区分である。もともと「近世」は今日の「近代」の意で用いられ、「近代」のほうが後発であるが、その後、「中世」と「近代」の間に「近世」を入れる時代区分が多く用いられるようになった。

中国史に関しては、主として京都系の学者によって議論され、特に内藤湖南《こなん》によって十世紀の唐宋変革期から「近世」と見る見方が提案されてから、広く用いられるようになった。三世紀の後漢の滅亡までを「古代」、その後の三国時代から隋・唐代までを「中世」として、その後を「近世」と見るのである。哲学・思想史の分野においては、今日でもかなり一般的に用いられる。諸子百家時代から儒教の国家宗教化の時代が古代、その後仏教が入り、儒・仏・道が争うのが中世、宋学による儒学の再興以後を近世と見ることになり、思想潮流によってかなりはっきり区別がつけられるので、その点、分かりやすい。もっとも宋代以後も仏教や道教が衰えるわけではないので、それほど簡単に区切りがつくわけではない。

ところで最近、歴史学の方面で、十六―十八世紀の明末清初を東アジアの諸地域と共通の「近世」と見ようとする見方が、岸本美緒《みお》らによって推し進められている（『明末清初中国と東アジア近世』岩波書店、二〇二一年）。これによると、日本などの近世と時期的に重なることになる。そればかりではなく、西洋の「近世」とほぼ重なることになって、その点では好都合である。

日本史の場合、江戸時代を中心とする時代を「近世」とする見方が、ほぼ定着している。最初をどこに見るかはやや曖昧であるが、十六世紀頃から、十九世紀半ばの幕末期まで含まれる。かつては、思想史的には、中世は仏教の時代で、近世は儒教から国学へと転換すると捉えられてきたが、近年ではそれほど単純ではなく、近世においても仏教の勢力は大きかったと考えられるようになってきている。

このように、東アジアに関する「近世」の位置づけはなかなか難しいが、岸本らの時代区分の提唱により、新たに検討が必要になった状況である。本シリーズでは、朱子学が第4巻に収められ（④第8章「朱子学」垣内景子）、西洋におけるトマスと近い時代に位置づけられるのは、非常に分かりやすい。また、陽明学などの明代《みん》の哲学が第5巻の近世に入れられているのも（⑤第9章「明時代の中国哲学」中島隆博）、納得のいくところである。

日本の近世に関して、それを early modern と解するのは、アメリカの日本学者による近代主義的な解釈に基づく。日本の近世にも独自の近代の芽生えがあったと見るのである。その立場から、荻生徂徠や本居宣長らが近代的な合理主義として高く評価されることになった。しかし、そのような見方だと、その後、平田篤胤など、かえって非合理的な思想が興隆し、広く支持を受けて、尊王攘夷運動の大きな力となったことが理解できなくなる。こうしたところから、近代主義的な近世観は限界を露呈することになり、近世を安易に近代に結びつけることは適切ではないことが分かってきた。

それでは、近世を中世に含めて理解してよいかというと、これもかなり無理が多い。日本で都市文化が発展するのは、戦国期の十六世紀頃からで、そのあたりで社会的にも文化的にもかなり大きな変化があり、そこに中世から近世への転換を考えることができる。そうとすれば、近世は中世とつながる面もあり、近代につながる面もありながらも、そのいずれとも異なる独自の時代と見るのがよさそうである。その時代の思想を無理に近代に結びつけるのも不適切であるが、だからと言って中世に含めるのも不適切である。近世は近世としての課題を持ち、それに対応する思想を展開してきた。それ故、今日から見れば、近代につながる面も持ちながらも、やはり常に他者性を持つものとして、ひとまず切り離して見なければならない。

それと同じように考えれば、西洋の場合も、無理に古代・中世・近代の三区分でなく、近世を独自の特性を持つ時代として加え、四区分にしてもよいのではないだろうか。中世と近代をつなぐ結節点的な位置づけと見られる。近世の位置づけに関しては、さらに今後の検討が必要であろう。

近代は否定されるべきか

近代に関しては、山内志朗はかなり厳しい評価を下していた。それに対して、近代の巻を担当した伊藤邦武は、別の意味での困難を表明する。それは、「世界の『哲学』は、まさしく『近代』という時代においてこそ、『西洋哲学』へと結晶したという側面をもっているから」(⑥「はじめに」一二頁)だという。この時代に「西洋世界の文明上の優位」（同）が確立して、それが一方的に非西洋世界に押し付けられる。それでは、対等の形での「世界哲学」は実現しないことにならないか。

しかし、伊藤も指摘するように、必ずしもそのような方向ばかりで見るべきではない。それを超えようとする動きも現われる。「西洋に限定されないより広い視野のもとで、人間の本性や魂のあるべき姿の普遍を探ろうという姿勢は、近代哲学そのものの中にもすでに存在する」（同、一二一—一二三頁）のである。

それでは、そのような動きをどこに求めたらよいのであろうか。伊藤はそれを具体的に指摘していないが、私見では、第7巻の第8章「スピリチュアリズムの変遷」（三宅岳史）と第9章「近代インドの普遍思想」（宮澤かな）と並んでいるあたりに、ヒントがあるのではないかと考える。第8章はフランス哲学におけるスピリチュアリズムの系譜を追っているので、ひとまず西洋世界の枠の中の問題として捉えられ、第9章はインドの動向とされるが、両者は無関係の動向ではなく、密接に関わっている。

とりわけ十九世紀後半にブラヴァツキーによって創始された神智学の流れは、積極的にアジアとの関係を深め、インドやチベットの智慧に拠りどころを求めた。それが、第9章の近代インドの瞑想的思想家たちによる普遍性の主張と結びつくのである。神智学協会の本部はインドに移され、ブラヴァツキーとオルコットはセイロン（スリランカ）で仏教の在家戒を受ける。そして、オルコットはセイロンの仏教改革の先頭に立つことになる。すなわち、そこには伊藤が危惧する近代の西洋の一方的な優越ではない、東西思想の融合の可能性が現実に示されているのである。

このような霊性論的潮流の中で、二十世紀には、ユング、ジェイムズ、鈴木大拙、ガンディーなどが現われ、トルストイ、ロマン・ロランらの理想主義的な平和主義とも結びついて、それなりに大きな勢力となっていく。大拙を受け入れたポール・ケーラスもまた、そのような「世界哲学」を志す一人で、彼の創刊した雑誌『モニスト』は、アメリカ哲学形成の舞台となった。一九〇三年のシカゴ万博の際に開かれた万国宗教会議にはケーラスも関係しているが、世界の宗教者が一堂に会する一大イベントとなり（⑧コラム「世界宗教者会議」沖永宜司）、ヴィヴェーカーナンダが宗教の普遍性を説いて喝采を浴びた。

このような東西融合の霊性論的な潮流の中に、私は井筒俊彦も位置づけてよいのではないかと考えている（拙稿「井筒／仏教／神智学」『理想』七〇六、二〇二一年）。そのような見方が成り立つかどうかは、なお検証を要するが、少なくとも近代を終わったものとして否定的に見るのではなく、その中に新たな潮流として「世界哲学」への志向が生まれ育ってきていることを積極的に評価すべきであろう。その可能性を探る作業は、これからいよいよ本格的になされなければならない。『世界哲学史』はそのような新しい潮流の、まさしく先蹤として位置づけられることになるであろう。

以上、はなはだ粗雑ではあるが、『世界哲学史』を手がかりに、哲学の定義を広げつつ、過去のさまざまな地域の哲学をどのように位置づけていったらよいか、時代区分の問題と絡めながら考え、その上で東西融合的な哲学の流れの可能性について触れてみた。『世界哲学史』がそれだけの花火として終わるのでなく、これをはじまりとして、新しい大きな流れを生み出していくことを期待したい。私自身、ごく狭い範囲を研究する者ではあるが、それでも西洋近代中心主義崩壊以後の新しい哲学のあり方の模索を終生の課題として追求してゆきたい。

II

新たな哲学／倫理学の構築

――日本からの発信

第四章　宗教に基づく倫理は可能か？

一　科学から宗教へ

二〇一一年の東日本大震災と福島の原発事故は、既成の価値観を大きく揺るがせ、崩壊させることになった。発展や進歩ではなく、いかにして安定した持続可能な社会を造っていくかということが問題となった。「少欲知足」が言われ、経済より心の問題の重要性が主張された。しかし、しばらくすると、また過去の価値観が浮上してくる。アベノミクスに躍り、威勢よく「強い日本」が謳歌される。伝統回帰を唱えながらも、その伝統の中身が何なのか、誰も吟味しようとしない。こうして思想なき時代、その場だけの刹那主義が蔓延することになった。

だが、このような時代状況は、3・11によって突如もたらされたわけではない。一九九〇年代から「失われた二十年」と言われるような経済的停滞が続き、そればかりか世界的な行き詰まり状況を示していた。その大きな転機は、一九九〇年の東西ドイツの統一に続き、九一年にはソヴィエト連邦が消滅し、冷戦が終結したことである。それは一見すると資本主義の勝利であり、戦争の危機が遠のいたかのように見えたが、実際には違った。同年には湾岸戦争が起こり、もはや資本主義対社会主義という単純な二項対立では済まない複雑な混乱状態へと突入した。そのような中で、日本では九五年に阪神大震災とオウム真理教事件が起こったのである。

ソヴィエト連邦の消滅は、思想史的に大きな意味を持つ。たしかにソ連の現実は理想からは程遠かったが、少なくともマルクス主義は資本主義を克服し、理想社会を造ることを目指した運動であった。それは未来に理想的な到着点があり、そこを目指すということで明確な希望と目標が与えられた。しかも、その理想は単に夢想されたものではなく、科学的な歴史法則に基づいて、必然的に到達するものだというのである。

このマルクス主義のインパクトは、きわめて大きいものがあった。歴史が偶然的なものでなく、必然的法則を持つとすれば、それを探究する社会科学・歴史科学には自然科学に匹敵する厳密な科学的探究が可能ということになる。マルクス主義が知識人を引きつけたのは、差別なき平等社会の実現という人道主義的な理想主義の面とともに、最先端の歴史科学理論だということもあった。まさしくそれは「前衛」であった。マルクス主義経済学、マルクス主義歴史学は、戦後アカデミズムにおいて強力なポジション（大学内のポストを含めて）を得ることになった。原始共産制から古代奴隷制・中世封建制・近代資本制を経て、未来の共産制に至るという歴史段階説はあらゆる民族の歴史にも該当する普遍的な歴史進歩の法則とされ、それをどのように実際の歴史に当てはめるかが、論争の種となった。

たとえソ連が理想とは程遠くとも、少なくともその理想に基づいて成立した国家があり、共産圏が現実に成立しているということは、マルクス主義が現実の力となることの保証であった。それが崩壊したことは、そもそも歴史や経済などの人間行動を合理的・科学的に捉えることができるのか、という根本的な疑問を生むことになる。それと同時に、人類が必然的に進歩し、理想の未来に至るという進歩の理念が問い直されることになる。原発事故は、自然科学についてさえ自律的に発展するという楽観論にとどめを刺した。「空想（迷信・宗教）から科学へ」のはずが、その科学そのものが空想ではなかったのか。そうとすれば、かつて否定されたはずの宗教が、もう一度呼び出され、再認識されなければならないのではないか。実際、冷戦終結後の世界情勢は、宗教を抜きにしては語ることができなくなっているのである。

二　政教分離を問い直す

近代合理主義が問い直されるということは、近代の中で自明視された自由・平等・人権・民主主義などの理念もまた、その内容を吟味せずに、そのまま金科玉条として押し戴けばよいというわけにはいかなくなる。ここでは、政教分離の問題を考えてみたい。政教分離の原則は、日本国憲法第二十条で、次のように謳われている。

信教の自由は、何人に対してもこれを保障する。いかなる宗教団体も、国から特権を受け、又は政治上の権力を行使してはならない。

(2)　何人も、宗教上の行為、祝典、儀式又は行事に参加することを強制されない。

(3)　国及びその機関は、宗教教育その他いかなる宗教的活動もしてはならない。

ちなみに、明治憲法では、第二十八条に「日本臣民ハ安寧秩序ヲ妨ケス及臣民タルノ義務ニ背カサル限ニ於テ信教ノ自由ヲ有ス」と規定されている。明治憲法の「安寧秩序ヲ妨ケス及臣民タルノ義務ニ背カサル限ニ於テ」という強い限定がなくなったことはすぐ分かるが、現行憲法の規定はそれに留まらず、重点そのものが大きくずれていることに注意しなければならない。すなわち、「信教の自由」の保証はごく簡単で、その後の「いかなる宗教団体も、国から特権を受け、又は政治上の権力を行使してはならない」という政教分離に力点が置かれている。補足の第(2)、(3)項もそれを補強するものであり、とりわけ第(3)項は、国による宗教活動を否定している。

このように、憲法第二十条は、異常なまでに国家の宗教への関与、ならびに宗教の国家への関与を厳しく禁止し、政教分離を強調している。その背景として、国家神道への警戒ということが言われるが、そもそも戦前の国家神道は宗教ではなかったのであり、それが主眼であるとすれば、この規定は意味をなしていない。実際、津市の地鎮祭訴訟において、神道形式の地鎮祭は社会的に許容された習俗的な儀礼として認められている。

それならば、この憲法の規定は何を意図したものであろうか。政教分離をもっとも厳格に主張したのはフランスのライシテの原理であり、日本国憲法もそれを模したものであろう。ライシテの原理は、単純な政教分離ではなく、フランス革命に起源する国家からの宗教排除に重点がある。フランス革命は啓蒙主義的な唯物論に基づいていて、宗教に対する憎悪を一つの動機としている。日本国憲法第二十条もまた、冒頭だけ見ると信教の自由による宗教の尊重のように見えるが、その後を見ると、国家・政治からの宗教排除であり、宗教否定としか読めない。実際、例えば広島の原爆慰霊施設を見れば、そこから冷酷に宗教的要素が排除されていることが分かるであろう。

このような宗教排除的な政教分離は、唯物論的な進歩主義と合致するものであり、それに対応して、一部の宗教者や宗教教団は政治的な問題をまじめに考えることを自ら放棄することが、あたかも正当であるかのように主張した。しかし、これはおかしなことである。例えば、平和にしても自由や平等にしても、宗教的な理念を抜きにして、政治的次元だけで実現することであろうか。あるいは、宗教的な自由や平等は、政治的な自由や平等とは異なると言うのかもしれないが、自由や平等にいくつもの種類があるわけがない。宗教が政治に対して理念を与えるのでなければ、政治的な自由や平等も成り立たないのではないか。政教分離だから宗教は政治的な理念を語らない、あるいは語ってはならないというのは、単なる逃避であり、現状追認の言い訳に過ぎない。宗教界による原発への反対は、政治的な要因を含まないと言えるのであろうか。

旧統一教会問題は、カルト的宗教と政治との密接な関係をあらわにした。それ以外にも、保守政治に対する強い影響力を持つ日本会議が、もともと生長の家の系統から出発していて、宗教性が強いことはよく知られている。もっとはっきりした宗教系の政治団体としては、神道政治連盟が挙げられる。そこには多くの保守系政治家が所属しているが、その綱要の第一条では、「神道の精神を以て、日本国国政の基礎を確立せんことを期す」と謳っていて、宗教的理念をもって政治の基礎を確立しようという意図は明白である。連立与党の公明党が創価学会をバックに持つことを考えると、今日の与党は宗教勢力の強い影響下にあると言うことができる。もちろん、そのことは憲法の政教分離に反するものではない。宗教団体が、直接「政治上の権力を行使」しているわけではない。政教分離のもとで、宗教が政治の理念を提供することは十分に可能と考えられる。

今日、注目を浴びている社会参加仏教は、もともとベトナム戦争下での、僧侶たちの反戦活動に由来するものであり、きわめて政治性を強く持った活動であった。ところが、日本における社会参加仏教は、非政治的な社会活動を中心に考えられている。3・11後の宗教界の救援活動においても、政治的批判は慎重に避けられてきた。だが、それでよいのかどうか。旧統一教会の政治への浸透が明白になった今日、改めて検討を要する問題であろう。

三　三種の伝統

宗教の問題は、自国の伝統をどのように捉えるかという問題と密接に関わる。安倍晋三元首相の登場以後、「伝統」ということが盛んに言われるようになった。安倍元首相のホームページには、「美しい国、日本」として、「日本は美しい自然に恵まれた、長い歴史と伝統、独自の文化を持つ国です。日本人であることを卑下するより、誇りに思い、未来を切り拓くために語り合おうではありませんか」と書かれていた。だが、ここで言われる「伝統」とは何なのか。これまで、それが十分に語り合われ、議論されたとは思われない。日本の伝統の思想や発想とは、果たしてどのようなものであろうか。

私は、日本の伝統を考察する際に、三種の伝統を区別する必要があるのではないかと考える。それをきわめて単純に、小伝統・中伝統・大伝統と呼ぶことにする。小伝統というのは戦後の伝統であり、「平和」をアイデンティティとする。中伝統は明治以後の近代の伝統であり、「天皇」を中核に置く「国体」をアイデンティティとする。大伝統は前近代であり、とりわけ中伝統と対比されるときには、その前の近世が典型と考えられる。大伝統をどう見ることができるかは、のちほど考えてみたい。

一口に「伝統」と言っても、これらの三つの伝統は必ずしも連続せず、相互に背反する。それ故、それらを単純に「日本の伝統」としてまとめることは危険である。私は、この三つの伝統を分けるヒントを林房雄の『大東亜戦争肯定論』（一九六四―六五年。中公文庫、二〇一四年）から得た。林は、百年戦争論を唱える。すなわち、戦争は決して昭和の期間に限られるものではなく、明治維新以前の薩英戦争などから始まるとして、日本の近代百年は一連の戦争として捉えるべきだというのである。例えば、大正時代は一見平和の時代のようであるが、第一次世界大戦への参戦やシベリア出兵など、一連の戦争の流れから外れるものではない。林は日本の歴史を、平和な時代であった近世から、近代という一連の戦争の時代へと移り、そして再び戦後の平和へという三つの時代の転換として見ている。このような大づかみの歴史の捉え方は、決して間違ってはいない。前近代・近代・戦後の間には大きな断絶があると見るべきである。昭和の戦争を十五年戦争などと呼ぶのは、近代の百年戦争を矮小化し、近代全体が戦争の時代であったことを隠蔽しようとする策謀でしかない。

三つの伝統について、もう少し補足しておきたい。まず小伝統であるが、その中核に日本国憲法が置かれる。日本国憲法は、平和の理念を軸とするが、その際、注目されるのは、その根拠として人類共通の普遍的な真理が言われていることである。例えば、憲法前文には、「平和を愛する諸国民の公正と信義を信頼して……政治道徳の法則は、普遍的なものであり」などと主張されている。人類の普遍性に根拠が置かれるということは、そこでは特殊な日本の伝統は無視されるということである。普遍的真理は、あらゆる場所、あらゆる時代に通用するから、そこにわが国独自の歴史や伝統が入り込む余地はない。そこでは、中伝統も大伝統も否定される。それればかりか、小伝統自体が伝統化、歴史化されることはない。

それに対して、中伝統は、一方で西洋近代の普遍的な科学や社会原理を受容しながらも、他方でそれをどこまでも特殊日本的な「国体」の中に吸収しようとする。「万世一系」の天皇を中心とする日本の「国体」は、他のどこの政治体制とも異なっている。「国体」は古代から不変の日本の独自の政治社会文化システムだとされる。その「国体」に立脚するがゆえに、日本は、アジアはもちろん欧米のどこよりも優れ、どこにも負けるはずはないのである。

それが、日本の近代化を成功させ、百年戦争を可能にしたイデオロギーであった。宗教もまた、その「国体」の中に呑み込まれることになった。

だが、もちろん「国体」観念は、近世後期の水戸学派に由来する日本の歴史・伝統の再編成であり、再解釈された大伝統である。たしかに歴史・伝統の重視という点で、それを完全に無視した小伝統よりは地に足がついている。しかし、それがほぼ完全に造り直された伝統だという点で、それをきちんと検証せず、そのまま従おうとする一部の戦前回帰の動向は自己欺瞞であり、本当の伝統重視とは言えないのである。

それでは、大伝統はどうであろうか。近世は、近代に再解釈された「伝統」とは、実は大きく異なっている。近代が天皇中心の一元論をとり、中央集権により、富国強兵政策を進めたのに対して、近世には、天皇と将軍に権力が二分化して相互監視するとともに、天皇はいずれかというと象徴的な意味を持つものであった。中央集権ではなく、大名による地方分権により、それぞれの地域の特徴を生かそうとした。また、四民平等として、すべて「臣民」とするのではなく、職能による区別を設けて、単純な競争原理による弱肉強食化を防ごうとした。もちろん、それらがすべてよいわけではないが、近代になって仮想された「日本古来の伝統」とは大きく異なることが知られる。

四　大伝統とケアの倫理

近世という枠で見ても、大伝統においては必ずしも一貫したアイデンティティがあるわけではない。近世初期に、キリスト教を排撃したときの根拠は、日本が「神仏の国」だというところにあったが、近世末期になると、「国体」的な発想が尊王攘夷の運動を引き起こすことになる。ただ、そうした流れを通しながら、日本の伝統の発想には、西洋の近代的な発想とは異なるところがある。それは何であろうか。

もちろん、「日本的な発想」として一元化するのは乱暴なことであり、あくまでもこのような傾向もあるということに過ぎないが、その点を考えるために、日本哲学の研究者トマス・カスリスの説を取り上げてみよう。カスリスは長年の日本哲学の研究に基づいて、近代西欧的な人間観とは異なる人間観があることを論証した。カスリスは、その著書『他者親密性か自己統合性か』（*Intimacy or Integrity: Philosophy and Cultural Difference*, Univ. of Hawaii Press, 2002）において、近代西洋的な人間観を「自己統合性」（integrity）と呼び、それと異なる日本などの伝統的な人間観を「他者親密性」（intimacy）と呼んだ。*

＊　この書の和訳は、二〇一六年に出版されたが、そこでは、「インティマシー」と「インテグリティー」という英語をそのまま片仮名で採用している。衣笠正晃訳『インティマシーあるいはインテグリティー――哲学と文化的差異』（法政大学出版局、二〇一六年）。

「自己統合性」の人間観は、自己を自律的に完結したものと見、個人をそれだけで独立した存在と見る。そのように独立した個人は理性的な判断に基づいて行動し、相互に契約的な関係を結ぶところに社会が成立する。いわゆる社会契約説的な考え方である。それに対して、「他者親密性」の人間観は、自己をそれ自体で完結したものと見ず、個人は他者との関係の中に位置づけられる。それ故、個の自立よりも他者との親密な関係を重んじる。

自己統合的な人間観は、近代・西洋・男性・大人をモデルとしている。それに対して、他者親密的な人間観は、前近代・非西洋・女性・子供をモデルとする。近代的な見方では、他者親密的な人間観はいまだ自立に至らない子供のような未開の状態であり、それを一人前の自立した自己統合的な個人に育てるのが「啓蒙」の役割だとされる。それ故、従来の哲学は自己統合型の人間観をもとにして形成されていて、他者親密的な人間観は考慮に値しないものだとされてきた。それに対してカスリスは、他者親密型の人間観にも、自己統合型と対等の価値があり、どちらが優れているとは言えないと主張した。これは、近代西洋の世界観・人間観を優越的に見る従来の思想哲学に対して、前近代・非西洋・女性・子供の見方にも同等の権利を与えるものであり、画期的な発想と言わなければならない。

カスリスは決して文化決定論的な見方をするわけではなく、日本人は他者親密的だと決めつけるわけではない。一つの文化の中にも、二つの人間観は併存しており、一義的にどちらと断定することはできない。ただ、日本の大伝統の見方は、人間を孤立的な個人の集まりと見る自己統合型よりも、他者との関係を重視する他者親密型のほうが優位であったということはできよう。例えば、儒教では君臣・父子・夫婦・兄弟・朋

カスリスによる人間観の二類型

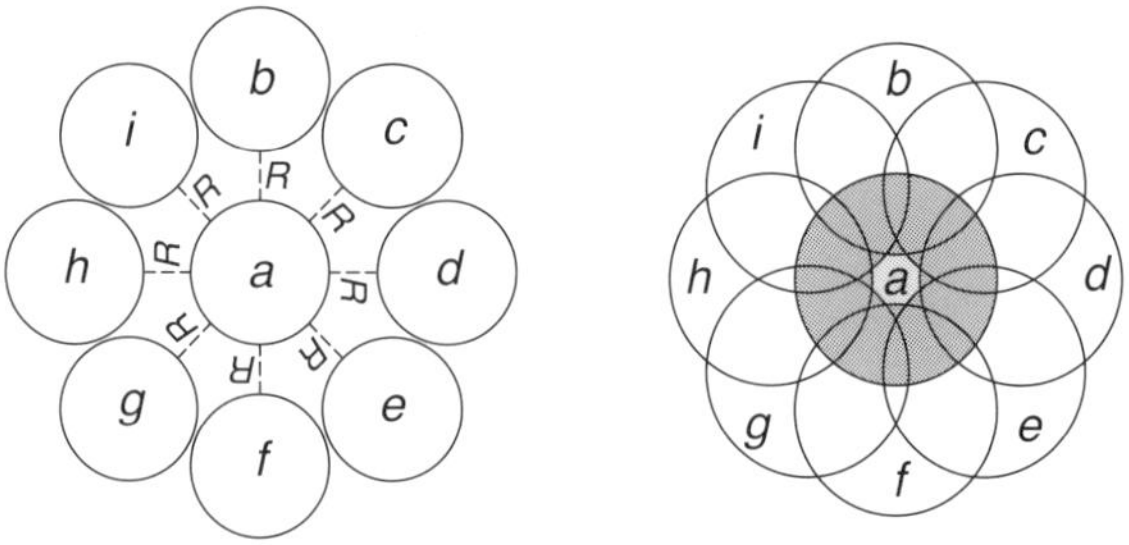

Kasulis, 2002, pp. 60, 61

友などの関係によって、対応の仕方が異なるという。また、仏教の場合、そもそも縁起の原則は他者への依存を説くものであり、無我と言われるように、他者との関係を抜きにした自立的な個はありえないと考える。このように見れば、日本の伝統的な人間観は、自己統合的であるよりは他者親密的な傾向が強いということは言えるであろう。

ちなみに、関係という観点から倫理を構築するということは、一九八〇年代にフェミニズム運動の中から出てきたケアの倫理学において主張されるところである。従来の「正義の倫理」は、自分の正しさを主張し、正面からどんどん突き進めていくというものであり、それは男性優位の社会におけるものの見方であって、それとは違うものの見方があるのではないかというのである。それをキャロル・ギリガンが言いはじめ、さまざまな分野で展開されるようになってきた（Carol Gilligan, *In a Different Voice*, Harvard University Press, 1982. 岩男寿美子訳『もうひとつの声――男女の道徳観のちがいと女性のアイデンティティ』川島書店、一九八六年。川本隆史・山辺恵理子・米典子訳『もうひとつの声で――心理学の理論とケアの倫理』風行社、二〇二二年）。

ここで言うケアには幅広い意味があって、看護とか介護などという意味合いに限定されるものではない。もともとケアという言葉は、ハイデガーも使っている Sorge にあたり、「配慮」とか「気配り」ということで、他者への対応をもとにしている。すなわち他者との関係性の中で、ものを考え、自分のあり方を決めて、自分の責任を認めていくという考え方である。アメリカでは、最初、子供のケア、つまり育児の現場から始まった問題であった。子供に対する場合、あるいは認知症の老人に対する場合でも同じだが、そこではこれが正しいということを強引に押し通そうとしても絶対に成り立たない。常に相手がどういうふうに考えるか、相手が何を求めているのかというように、相手のことを考えながら進めていかなければならない。

このように見ると、「正義の倫理」は正しいことは絶対に押し通すという立場であり、カスリスの言う「自己統合」的なものの考え方に近い。すなわち、「正義の倫理」は、男性優位、大人中心、西洋的・近代的であって、強者の倫理になっている。それが普遍性を主張する。それに対して、正義を押し通すことでは成り立たないケアの倫理は、「他者親密的」な発想に近い。ケアとは、もともと女性や子供、あるいは弱者とともにあるところから生まれたものので、普遍的であるよりは、それぞれの特殊な状況に応じて対応を考えなければならないところからきている。その「ケアの倫理」は、アメリカが「正義の戦争」を主張したときに、いや正義だけではいけないという反対の声を挙げ、社会的・政治的にも注目されるようになった。

このように、ケアの倫理は、カスリスの言う他者親密的な発想ときわめて近似しており、実際、エリン・マッカーシーのように、ケアの倫理をカスリスの他者親密性と結びつけ、そこに和辻哲郎の倫理学をつなげて再評価するような研究も見られる（Erin McCarthy, *Ethics Embodied : Rethinking Selfhood through Continental, Japanese, and Feminist Philosophies*, Lexington Books, 2010）。和辻は、「人間」とは「人の間」だと解釈し、「人の間」の関係を基軸に置いた倫理学を構築したことで知られる。

このように見ると、日本の大伝統の主流の発想は、他者親密的であり、ケアの倫理に近いものがあると考えることができる。例えば、日本的なものの考え方を追求した本居宣長は、「もののあはれ」に日本的な発想の原点を見出そうとしたが、「もののあはれ」は次のように定義される。

さて其の見る物聞く物につけて、心のうごきて、めづらしともあやしとも、おもしろしともおそろしとも、かなしとも哀れ也とも、見たり聞きたりする事の、心にしか思ふてばかりはゐられずして、人に語り聞かする也。……その心のうごくが、すなはち物の哀れをしるといふ物なり。

（本居宣長『紫文要領』岩波文庫、二〇一〇年、四六頁）

ものに触れた感動が「もののあはれ」であるが、その典型は男女の恋愛に求められる。宣長によれば、「おほかたの人の実の情といふ物は女童のごとく未練に愚かなる物」（同、一五四頁）であって、人間の本質は女性的であり、感情的なものであると捉えている。これは、他者親密的な人間観、あるいはケアの倫理の発想にきわめて近い。

五　死者と関わる宗教の倫理へ

このように、ケアの倫理学やカスリスの言う他者親密性は、日本の大伝統と近いところがある。ここで問題になるのは、ケアの倫理はあくまでも生者の間の関係であり、そこには死者が入ってこないことである。しかし、ケアという問題を考えるならば、死者もまた、その関係性の中に入ってこなければ狭いものになってしまうであろう。ターミナル・ケアや老齢者のケアは、死ということを考慮しなければ成り立たず、その延長上には、死者のケアということも当然考えなければならない。

死者の問題が関わることで、世俗的な問題に限られずに、否応なく宗教の領域に立ち入ることになる。死者といかに関わることができるのか、死者に対してケアをし、死者からケアを受けるという関係は、果たして成り立つであろうか。そのような試みは、最近始められたばかりであり、ようやく少し成果が生まれつつある（例えば、坂井祐円『仏教からケアを考える』法藏館、二〇一五年）。

私自身、しばらく前から、他者としての死者との関係ということを考えてきている。一回的な生の枠内だけで倫理を考えようとすれば、現世でできることはきわめて限られており、直ちに行き詰まることは明白である。それ故、生死を超え、生者と死者とが関わるような宗教性に基づいた倫理を確立することが不可欠である。このように、生死を超えて他者と関わるような実践のあり方を、仏教では菩薩と呼ぶ。私は今、もっとも根源的に宗教の立場から発する倫理学として、菩薩の倫理学ということを考えている。

今、それに立ち入って詳しく論ずる余裕はないが、その先駆として、哲学者の田辺元が晩年に展開した「死の哲学」があることを指摘しておきたい。田辺は、死者と生者の関係の例として、禅の『碧巌録』第五十五則の道吾《どうご》と漸源《ぜんげん》の話を挙げる。弟子の漸源は、師の道吾の生前に生死の問題を解決できなかったが、師の死後、兄弟子の石霜《せきそう》に導かれて、ようやく悟りを開く。そのときになって、師の道吾が、死後にも自分を導き続けていたことに気づき、感謝を捧げた、というのである。このような死者と生者の関係を、田辺は「実存協同」と呼び、死後も生者を導き続けるところに、菩薩の精神を見ている。このように、死者をも含む宗教的な倫理を基《もとい》にして、はじめて世俗の倫理も成り立つのではないだろうか。

第五章　いま日本で哲学すること――〈冥顕の哲学〉の構想

一　日本思想から哲学できるか？

私はもともと仏教学から出発して日本仏教の教理思想の研究を専門とし、そこから発展して日本思想史の流れを全体として捉えることができないかと探究している。そこからさらに、仏教や日本思想を基盤として、哲学を構築できないかということを課題としている。*

＊　拙著『日本思想史』（岩波新書、二〇二〇年）において、著者の日本思想史の見方をまとめた。また、拙著『冥顕の哲学1　死者と菩薩の倫理学』（ぷねうま舎、二〇一八年）、『冥顕の哲学2　いま日本から興す哲学』（同、二〇一九年）に、これまでの試行錯誤の過程をまとめた。その後、『死者と霊性

の哲学』（朝日新書、二〇二二年）において、多少発展した形で論じた。本章は、これらの成果に基づきながら、最近の研究動向を踏まえて改めて考察したものである。

哲学というと、これまで直ちに西洋哲学のことと考えられてきた。それ故、「日本で哲学する」というと、日本において西洋哲学をベースに哲学をするということになる。例えば、西田幾多郎をはじめとする京都学派の哲学が日本哲学の代表とされる。『日本哲学史』というと、最近の藤田正勝の著作が示すように（藤田正勝『日本哲学史』昭和堂、二〇一八年）、主として近代の西洋哲学導入以後の日本の哲学史と考えられている。もっとも、近年の欧米では、「日本哲学」（Japanese Philosophy）というと、日本の前近代の思想をも含むことが多くなっている。[**] 日本で考える「日本哲学」と欧米で考える「日本哲学」Japanese Philosophy の間に、いささかずれがあるようだ。

＊＊　J. Heisig, Th. Kasulis & J. Marald (ed.), *Japanese Philosophy: A Sourcebook*, University of Hawaiʻi Press, 2011. Thomas P. Kasulis, *Engaging Japanese Philosophy: A Short History*, University of Hawaiʻi Press, 2018. Bret W. Davis (ed.), *The Oxford Handbook of Japanese Philosophy*, Oxford University Press, 2019. 特に、ブレット・デイヴィスの編著の序文は、「日本哲学史」か「日本思想史」かという問題に関し

ても重要な問題提起をしていて注目されるが、これは別の機会に取り上げたい。

もともと西洋哲学は普遍的な真理の探究であった。「汝自身を知れ」とは言われるものの、その「汝自身」は「汝」の個別的な特殊性ではなく、あらゆる人に共通して適用される普遍的な人間の本質であった。このような普遍性は二つの意味を持つ。一つは、誰の視点から見ても妥当するという主体の側の普遍性であり、「汝」も「我」も本質においては同一の理性的存在でなければばらない。もう一つは、どのような対象にも当てはまるという対象の側の普遍性である。感覚によって受容される物は常に誤差を伴うので、感覚を超えて把握されるイデア的存在が要請され、そこに客観的世界の法則が成り立つことになる。

中世においては、神がそのような普遍性を保証していたのが、その保証がなくなった近代において、ある意味でこの普遍性を達成したのが、カントの認識論であった。それは、存在論を認識論に転換することで、すべての人間の認識の超越論的（先験的）構造の同一性を認めることであった。主体の側の認識構造の普遍性が、同時に認識される対象の普遍性を保証する。この普遍性は時間・空間の固定したニュートン力学の世界に対して成り立つものであった。カントにおける物理世界の普遍性は、ヘーゲルにおいて歴史にも適用されることになり、それはマルクスの弁証法的唯物論に引き継がれた。

このような西洋哲学における普遍性の要求は、十九世紀から二十世紀にかけて、二つの方向からその限界が明らかになってきた。

第一に、カント＝ヘーゲル的理論の限界が明らかになった。自然科学の進展は、ニュートンの古典力学の限界を明らかにした。時間・空間を固定的に捉えるカント的認識論は、ある範囲で妥当するが、それが妥当しない局面もあり得る。まして、歴史に法則性を求めようとしたヘーゲル＝マルクスの理論は破綻した。それと同時に、科学的に解明できる問題には限界があり、キルケゴールが提起した神を前にした個の実存のように、普遍化から抜け落ちてしまう問題があることが明らかになった。

第二に、哲学の伝統が西洋のみに限らないことが明らかになった。西洋諸国の東洋進出に伴い、インドや中国の伝統思想が知られるようになって、その高度な思想が注目を浴びることになる。中国思想へは早くもフランス啓蒙主義のヴォルテールらが着目し、十九世紀になるとインド哲学や仏教への関心が高まった。

もっとも、それらが西洋哲学と同じレベルで「哲学」と呼びうるかどうかは、議論のあるところである。西洋中心主義の立場からは、たとえインドや中国に類似のものがあったとしても、本来の「哲学」は西洋にしかない、という議論もあり得る。とりわけ近代哲学を到達点と見る立場からすれば、古代哲学に関しては、インドや中国にもギリシアに相当するものがあったとしても、近代哲学の発展は西洋固有のもので、それのみが普遍性を持つという説が登場することは十分にあり得る。それはあたかも近代科学と類比的であり、どんなに東洋医学に見るべきものがあるとしても、あくまでも代替医療的なものであり、近代的に発展した医学と同等の役割を果たすことはできない。

しかし、哲学を個別科学と同等に見ることはできない。自然科学には進歩があり得るとしても、哲学はメタ科学の次元の問題であり、科学を超えて科学の位置づけをより大きな視座から問うのであるから、それが果たして科学と同じように進歩すると言えるかというと、疑問である。近代哲学のみならず、西洋の古代・中世哲学も東洋やその他の地域の哲学も、同等に叡知の結晶としての意味を持つと考えるべきであろう。

今日、非西洋世界の哲学を含めた「世界哲学」が提唱されるようになっていることは、注目に値する。* 欧米で言われる「日本哲学」もその枠組みで理解されるものである。日本で理解される「日本哲学」と欧米での「日本哲学」とのずれは、ここに由来すると考えられる。もっとも非西洋圏の哲学にも同等の資格を与えよという主張は、欧米でも必ずしもすんなりと受け入れられているわけではない。**

＊　J. L. Garfield & W. Edelglass (ed.), *The Oxford Handbook of World Philosophy*, Oxford University Press, 2011. 日本でも最近、「世界哲学」が論じられるようになってきている。本書「間奏の章」参照。

＊＊『ニューヨーク・タイムズ』に掲載された記事 Jay L. Garfield and Bryan W. van Norden, "If Philosophy Won't Diversify, Let's Call It What It Really Is," *New York Times*, May 11, 2016 は、非西欧圏の哲学を含み得ないのであれば、欧米の「哲学科」は「欧米哲学科」と名を改めるべきだと主張して注目されたが、欧米哲学しか知らない自称「哲学者」たちの無理解に遭ったという（Davis, *op. cit.* p.19）。この『ニューヨーク・タイムズ』の記事は、以下のサイトで見ることができる。https://www.nytimes.com/2016/05/11/opinion/if-philosophy-wont-diversify-lets-call-it-what-it-really-is.html

ここで、もう一つ検討が必要な問題がある。それは、日本の伝統思想を研究する際、日本思想史として見るか、日本哲学史として見るか、という問題である。この問題は、「哲学」の定義に関わるので、慎重な検討が必要であるが、結論的に、私は日本の古典思想に関しては、日本哲学史よりも日本思想史と呼ぶのがよいと考えている。たとえ哲学を西洋圏から解放して、非西洋圏の哲学も同等に含むものに広げたとしても、やはりその領域にはある限定が残されるであろう。過去の日本思想から養分を吸収しようというのであれば、もっと漠然と幅広く非哲学的な「思想」をも含めて考え、そこから新たな発想を汲みだすほうが有効ではないかと考えられる。それ故、あえて近代以前の日本思想に関しては、哲学史よりも思想史としての捉え方を採用したい。

一時期活発に論じられたフランス現代思想の場合も、レヴィ＝ストロースやフーコーなど、非哲学畑の思想家が含まれて、狭義の哲学よりも広い問題が議論された。今日、領域を限って哲学だけを論ずることは難しく、より幅広い領域からエネルギーを吸収するためにも、ある程度幅広く「思想」として捉えるほうがよいように思われる。新たな哲学を構築しようとする上で、非哲学的な思想へも配慮し、採り入れていくことは不可欠である。

ちなみに、日本思想の発想法の特徴を西洋近代と対比して明らかにしたものとして、トマス・カスリスによる「自己統合型」（integrity）と「他者親密型」（intimacy）の対比が注目される。自立的で他に依存しない人間のあり方が自己統合型であるのに対して、自立的な自己がなく、他者との関係の中で柔軟に対応する人間のあり方が他者親密型である。西洋近代の哲学は、自己統合型の人間観に基づき、他者親密型の人間観を低いレベルのものと見た。それを自己統合型に引き上げるところに「啓蒙」が必要とされる。それに対して、日本人の発想は他者親密型が強い。日本哲学の研究者であるカスリスは、近代哲学の自己統合型優位の人間観に対して、他者親密型の人間観も同等に扱うべきことを主張する。それによって、日本の哲学・思想もまた、西洋近代に劣るものではなく、それと同等のものとして評価され、それをベースにして哲学を構築することも可能と考えられるのである。この点については、第四章に論じた。

二　「他者」から〈冥顕の哲学〉へ

1　〈冥顕の哲学〉の構想

以上、日本思想をベースとして哲学を構築することの可能性が認められた。私は、そのような立場から哲学を構想し、その試みを「冥顕の哲学」としてまとめつつある。その際、なぜ過去の思想に関しては、「哲学」ではなく、「思想」として捉えながら、自らの営為は「哲学」と規定するのか、その点の説明が必要である。「哲学」の定義は困難であるが、ここではひとまず、自らの生きる世界の構造を明らかにして、その中における主体のあり方を探究し、それを言説化することと理解しておきたい（本書「間奏の章」参照）。今日、私たちが生きている世界はますます複雑化して、そこにおける自己は分裂拡散し、収拾がとれなくなっている。私たちがどのような世界に生きているのか、そして、どのような指針をもって生き方を決めていったらよいのか。それを明瞭化しないことには、私たちは生きていくことができない。それを果たすのが哲学である。それ故、多様な「思想」から養分を吸収しつつも、それを自らの問題として引き受けるときには「哲学」として構築していくことが必要である。

それでは、過去の日本の思想を受け止めながら、どのような哲学が可能であろうか。試論としての「冥顕の哲学」は、三部構成からなるものと考えている。すなわち、

第一部　参照系としての思想史／哲学史

第二部　他者の現象学——死者・神仏を含む「冥」の領域を開く

第三部　根源の形而上学——他者からその根源へ

第一部に関して、私自身が直接受け継ごうとするのは、日本思想史および仏教思想史である。日本思想に関しては、拙著『日本思想史』（岩波新書、二〇二〇年）に述べたが、その根本は日本の思想を大伝統・中伝統・小伝統の三つの伝統に分けて、その構造を論ずるところにある。それについては、本書第四章で触れたが、さらに第六章でもう少し論じたい。『日

本思想史』では、古典的な日本思想は、神仏（宗教）と王権（政治）の両極の緊張関係の中で展開しているのではないか、という見方を提示し、それで一貫して思想史を捉えてみた。ただし、同書は日本思想史を通史的に扱ったので、それをさらに「冥顕の哲学」に引きつけるためには、改めて死生観や神仏観という観点から思想史を読み直す必要がある。

「冥《みょう》」と「顕《けん》」という対比概念は中世の仏教系の思想、例えば『愚管抄《ぐかんしょう》』などに見える。近世末の神道においては、「冥」の代わりに「幽」あるいは「幽冥《ゆうめい》」などの語が用いられる。また、縁起の立場に立つ仏教はもちろん、他の日本思想も個体を実体視する思考はとらない。それ故、カスリスの言う「他者親密型」の発想が基本となっている。これらの点のさらなる検討が必要とされる。

2　公共性から「他者」へ

「冥顕の哲学」の第二部は、中心となるところであるが、方法としては現象学を用いる。すなわち、日常的世界そのままではなく、それを還元して、超越論的に世界のあり方を記述するのである。それによって、日常的世界が展開する「場」の構造が明らかにされる。ただしその際、フッサール流の現象学の方法には大きな問題がある。それは、どこまでも意識の領域の現象に留まり、そこから出ることができない点であり、そこに独我論に陥る危険が生ずる。そもそも生活している場から退いて、閉ざされた意識の領域だけを対象とすることは、すでにその対象となる意識自体がきわめて特殊な状態にあり、それを記述分析しても不自然な結果にしかならないであろう。そうではなく、私たちが生きて活動している生活世界の超越論的構造を記述し、分析することが必要である。そうすれば、私たちの世界が決して単純な平面ではなく、重層的に立体化していることが分かるであろう。その点を、もう少し立ち入って見てみよう。

独我論を離れて、私たちの日常的な生活世界を見るならば、私たちが孤立した私だけの世界に生きるのではなく、はじめから人々に囲まれた世界に生まれついているということは、明白である。そもそも私たちは、生まれたときから親との関係なしには成り立たない。親子関係は家庭という場で成り立つとも言えるが、家庭もまたそれだけで孤立しているのではない。とりわけ言語の習得の過程で、言語を共有する世界においてあることが明らかになる。デカルトのコギトは最初から間違っている。なぜならば、「我思う故に我あり」が成り立つためには、それを表現できる言語がなければならない。すなわち、「我」に先立って言語があるのであり、言語を共有する公共的社会が前提となっている。近代的な自立的、自己統合的な自己は、後天的に形成されることで成り立つ。

だが、私たちは言語によって成り立つ公共世界に生きているだけではない。その公共性で捉えきれないものと関わらなければならない。それを「他者」と呼ぶ。他者は、「了解不可能でありながら、関わらざるを得ない何ものか」と定義することができる。私たちが公共的な日常において出会い、関わる相手にしても、言語を通してすべて理解し尽くすことができるわけではない。友人であれ、家族であれ、どんなに親しくても、相手のすべてを理解し尽くすことはできず、必ず理解し得ない他者性を持っている。私自身でさえも自ら知り得ない他者性を持つ不透明な存在である。

それ故、ここで言う「他者」は、私たちがふつうに使う用法と多少異なっている。ふつうの使い方では、「他の人」程度の意味で使われることが多い。それは、多くの場合、相互に了解可能な公共性の範囲に入る。しかし、私の定義では、それは「人と人」の関係であっても、「他者」と呼ぶことはできない。近代西洋的な世界観では、公共的領域がすべてであり、公共的な言語のみを考えるから、そこには「他者」はいない。公共的な言語が通じないように見えても、それは不正確さに由来するもので、それを修正すれば、すべて了解可能となるはずだ、というのである。それでも了解できない「他者」は、ナンセンスな存在として公共的領域から排除されることになる。「他者」が排除されたのっぺらぼうな公共的世界――それが西洋近代哲学の描いた、あるべき理想の世界だ。

だが、現実はどうなのか。一見、公共的世界は完璧であり、完結しているかのように見えるが、実際には決して一義的に公共性が成り立つわけではない。「お母さん、俺、会社の金を使い込んでしまったから、お金を送って」という電話は、それはそれできちんと意味が通るし、それに対して送金したとしたら、相互の了解が成り立っていることになる。しかし、そこでは言葉の真の意味は重層化されて隠されている。犯罪は、裏の意味として成り立つ。

禅に「小玉《しょうぎょく》を呼ぶ声」という話がある。お嬢さんが小間使いの小玉を呼ぶのは、小玉に用があるのではなく、隠れている恋人に自分の所在を知らせるのが本当の目的だ、というのである。言葉を表面的な意味の整合性だけで理解したら、その深層を捉えそこなう。公共的世界は決してのっぺらぼうの平面ではなく、それ自体が凹凸を持ち、裏を持ち、底にもまた何層もの重層を持つ。一義的に意味が定まる法律の言語が理想の言語というわけではない。否、法律や条約の言語でさえ、場合によっては玉虫色の曖昧さが必要なこともしばしばだ。

だが、それでも何らかの了解が成り立つとすれば、そこには公共性が認められる。「小玉を呼ぶ声」の真の意味は、恋人との間でしっかりと通じ合っている。お嬢さんと小玉との間で成り立つ公共性の底に、恋人との間で成り立つ深層の公共性がある。あるいは、詐欺の言語は、騙す人と騙される人との間で成り立つニセの公共性の底に、犯罪者同士で成り立つ別の公共性がはたらいている。

しかし、そのように、すべてが公共性の内に回収されるかというと、そうはいかない。もっとも身近な家庭という公共空間を考えてみよう。父親が息子に、「お前、ちゃんと勉強しているのか」と尋ねたとき、息子が「うん」と答えて二階に上がってしまったとする。会話は成立していて、公共性が成り立っているかのように見える。しかし、息子が心の中で考えているのは、「オヤジ、うぜえなあ」ということかもしれない（多分、そうだろう）。父親のほうも、「あいつは俺の言うことを少しも聞かない」と思うだろう。その親子の間には、相互了解可能な公共性は成り立たず、逆に、一見公共的な言葉を用いながら、本当は公共性が壊れてしまっている。そのとき、二人は「他者」となる。

ここで注意すべきは、公共的な「人」と非公共的な「他者」とは、決して二者択一ではないということである。親子は、ある程度は公共的な相互了解が成り立ちながら、それでもその底に相互に理解不能な他者性を潜め持っている。それが蓄積して暴発すると、暴力沙汰になるかもしれない。あるいは夫婦の関係でもそうであろう。表面では日常会話が成り立ち、そこに公共性も成り立っている。しかし、公共性に回収されない相互の小さなずれが、やがて決定的な決裂を招くことは、決してあり得ないことではない。公共性の裏に、相互の了解が成り立たない他者性がある。

こう見てくると、公共性が常態で、他者性はそこから外れた非日常的な異常事態だ、とはとても言えないことが知られる。むしろ、公共性の底には必ず了解不可能な他者性があると考えなければならない。ウィトゲンシュタインが取り上げる石工の場合でもそうである。親方が「柱」と言ったら、見習いが柱となる石材を渡し、「礎石」と言ったら礎石を渡すとすれば、言語ゲームとしては完璧であり、その公共性には他者性を入れる余地がないように見える。だが、そうだろうか。親方は、「チェ、鈍い奴」と思っているかもしれないし、見習いは、「こんなの、やってられないよ」と思っているかもしれない。そこにいつ破綻が起きるか分からない。

このように、相互に理解できない「他者」でありながら、表面では公共性が成り立ち、言語ゲームが完結する。むしろ、相互に了解不可能な他者同士が関係しあわなければならないからこそ、その他者性を隠した表面的な公共空間が必要であり、相互了解的な言語が成り立つのではないだろうか。先に、他者を「了解不可能でありながら、関わらざるを得ない何ものか」と定義した。もし了解不可能なものを了解不可能なままに遠ざけて、それで済むのであれば事は簡単であり、そもそも「他者」として問題にする必要もない。了解不可能でありながら、それでも関係せざるを得ないから、そこにどのような関係を築くかが問題となり、公共空間のあり方が問われるのではないか。そこに、他者問題の不可避性が生まれる。

3　他者の重層

以上で論じた「他者」は、この世界（現象界）において関わらざるをえない「人」の、公共化できない側面であった。このような他者は、今、私と共存しているという意味で、「共時的他者」と呼ぶことができる。通常、それは私が関わる他の「人」であるが、それだけに限らない。例えば、私たちがペットとして飼い慣らしていたり、あるいは自然の中に生息する動植物にしても、少なくとも私たちの側からは、通常了解可能な領域で活動している。ペットであれば、ある範囲で、相互了解も成り立つ。けれども、そのような了解はしばしば勝手な思い込みでしかなく、時として他者として牙をむく。自然は決して人間が制御しきれるものではない。自然災害を完全に抑え込むことは、どれほど科学が進んでも不可能だ。それどころか、科学の発展は、かえって原子力のような制御困難な怪物を生み出す。

もっと手近なところを考えてみよう。他人ではなく、私自身に目を向ければよい。私が私を理解しきることができるだろうか。デカルトのコギトは、私自身の意識が無色透明とも言うべきもので、明晰判明であることが特徴であった。けれども、実際の私はそのように明晰化することはできない。デカルト自身もそれを情念として問題にせざるを得なかった。私自身の中にどのような感情が起こり、私がどのような衝動的な行為に走るか、それは私自身にも分からないし、統御しきれない。それは、まさしく私自身の中に他者がいる、あるいは私自身が他者だということに他ならない。

これは、仏教では、天台の十界互具《じっかいごぐ》の理論でもっともよく説明される。衆生（生あるもの）の領域は、最下の地獄から最上の仏まで、地獄・餓鬼・畜生・修羅・人・天・声聞《しょうもん》・縁《えん》覚《がく》・菩薩・仏という十種のあり方に分けられるが、そのそれぞれがまた自らのうちに十種のあり方を含み込んでいるというのである。それは次頁の図のように表わされるであろう。

私の心は善の面だけを含むのでもなければ、悪の面だけを含むのでもない。善も悪もさまざまな多様な面を含み込み、それが「私」という弱い紐帯で括られているに過ぎない。そこ

十界互具の構造

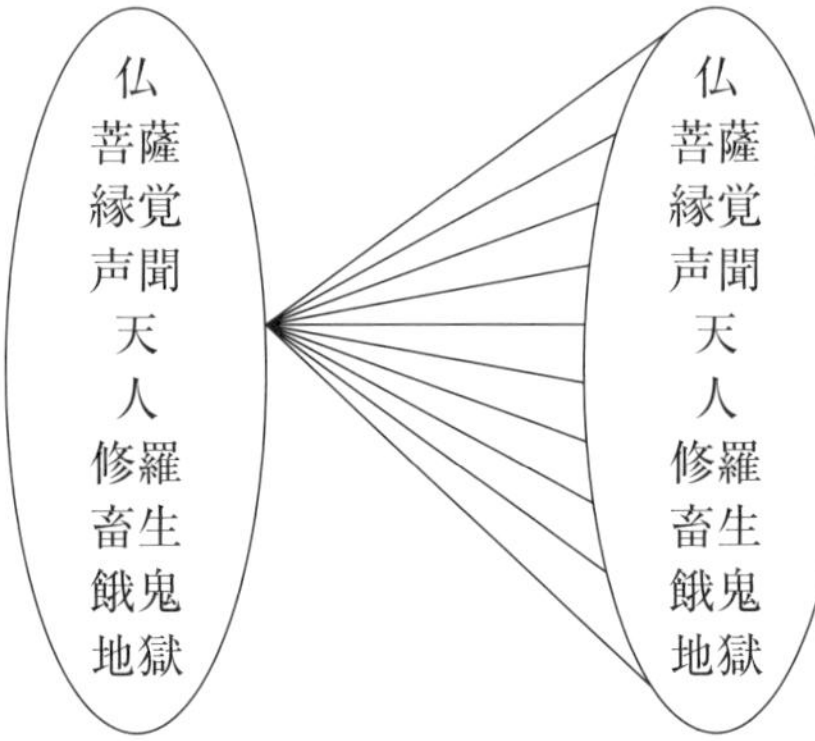

から何が飛び出すかは、私自身にも分からない。それをどのように方向づけていくかは、はなはだ困難な課題である。

以上、「共時的他者」を考えてきた。通常、「他者」が考えられるとしても、ここまでであろうが、私の他者論の特徴は、このような「共時的他者」を超えた他者を認めるところにある。とりわけ死者を他者の典型として考えてきた。これに関しては反対も強く、死者を「共時的他者」と同じレベルで扱うことは、納得できないという批判が多く寄せられた。

もちろん死者や未来の生者を含む「異時的他者」を、「共時的他者」と同じレベルで扱うことができないというのは当然である。「共時的他者」が、その存在を確認でき、公共性の空間に引き入れる可能性を持ち得るのに対して、「異時的他者」は、そもそもその存在を「共時的他者」と同じ意味では確認できない。というよりは、今という時点においては存在しない者である。存在しない者について語り得るのか、あるいは存在しない者の声を聞いたり、その者に向かって語ることができるのか。

少なくとも「異時的他者」について、何かを語ることはできる。死者＝過去の生者について語ることが歴史である。もし死者について語りえないのであれば、歴史は語りえないことになってしまう。それと同様に、未来の生者についても語り得る。私たちは、自己が死んでから後の社会について語るし、そうでなければ、未来へ向けての計画など成り立たない。ただ、死者については個別性が成り立ち得るのに対して、未来の生者は個別性が曖昧である。

今、死者についてもう少し考えてみよう。死者について語ることは可能としても、死者に向けて語ることは可能であろうか。それは、例えば葬儀＝告別式の弔辞を考えてみればよい。そこでは、単に死者をダシにして、本当は列席している生者に語っているのだ、と言われるかもしれない。しかし、それならば、堂々と生者に向けて死者の功績を語ればよい。実際、例えば死者を偲ぶ会で死者の思い出を語るときは、語りかける相手ははっきりと生者だ。弔辞が死者に向けて語られるとき、その言葉はやはり直接には生者に向けてではなく、死者に向けられたものと解するのが、素直であろう。

そのとき、死者はその言葉を聞いているのであろうか。死者からの応答はあり得るのであろうか。応答もないし、そもそも聞いているのかどうかも分からないとすれば、その言語は何の意味があるのであろうか。それでも、誰も告別式の弔辞を無意味だとは言わない。そうとすれば、相手がいるかどうかも分からず、聞いているかどうかも分からず、応答もないとしても、それでも、そのような言葉が成り立ち得ることになる。それは、一面では儀礼の中にはめ込まれ、生者間では了解が成り立つという意味では公共的ではありえても、直接に語りかける相手については、公共性が成り立たない「他者」と見なければならないであろう。

この例は、まだ死者が死者として確定しきらない曖昧な段階であり、死者のあり方としては典型とは言えない。ただ、「異時的他者」を認めようとしない論者へ向けて、それがはっきりとあり得ることの証明として出したものである。死者との関係は、時間とともに変わっていく。例えば、身近な死者と歴史叙述の中に出る死者とは同一視できない。そのような相違はあっても、「異時的他者」を他者として認めなければならないことは明らかである。

「他者」には、「共時的他者」、「異時的他者」の他に、もう一つの種類として「超時的他者」が考えられる。それは神仏によって代表される。「異時的他者」が、たとえ今・現在、ここにいなくても、過去、あるいは未来に存在した、あるいは存在するであろうという点では、ある時点においては「共時的他者」であった、あるいはあり得るはずである。

ところが、徹頭徹尾、公共の場に直接現われることのない他者もあり得る。例えば、神社で神に向かって祈るとしよう。もちろん神や仏も、もとは人であった場合もあり得る。仏は基本的に人が成仏して成るのだし、神の中にも、もとは菅原道真という人であった天満天神もいる。しかし、神仏になると、単なる死者とは次元を異にし、時間性を超越する。それ故、「超時的他者」と呼ぶことができるであろう。

そこで、神に祈ったとすると、その祈りの言葉を、神は聞いているのであろうか。聞いているのかもしれないが、神が祈りを聞き届けるというとき、それは人と人との公共性とはまったく異なった性格のものである。夢に神仏が示現してお告げを示したとして、その言葉をどのように受け取ればよいのであろうか。しかし、だからと言って、それを無意味だとして、一笑に付してしまってよいであろうか。

このような場合、人によって対応は異なるであろう。「超時的他者」を信じない人がいてもおかしくない。しかし、たとえ自分は信じなくても、少なくともそのような神仏とのつながりを信じ、実践する人がいることは認めなければならない。公共的な言語が成り立たないからと言って、それらをすべて否定し去るのは、言論の暴力であり、許されることではない。

あり得るものはあり得るものとして、その可能性を認めるのが正しいやり方ではあるまいか。

このように、他者にはレベルがあり、少なくともそれを三層に分けることができる。すなわち、「共時的他者」、「異時的他者」、「超時的他者」である。これらは時間性をもとに層を分けたものだ。観点が異なれば、さらに別の分け方も可能であろう。こうした他者の領域を含めて、それが私の生きている世界であり、それ故、現象学的記述の対象となる。この他者の領域は、先に触れたように、伝統的な言葉を使えば「冥」の領域であり、公共的領域を「顕」の領域と呼ぶことができる。その用語は、中世の仏教系の思想で使われたものであり、私たちの現代の思索は、無理なく中世の伝統に結びつけることができる。

もちろん伝統的な日本の思想を軽視し、そこから学ぶものは何もないと考えている人たちは、今日でも多くいるし、そのような人に、こうした用語を持ち出しても拒否されるだけであろう。しかし、少しでもまじめに考えるならば、私たちの思索は決して唐突に現代にはじまるものではなく、長い伝統の中で鍛えられてきていることを認めなければならないであろう。「公共性」と「他者」の問題は、中世以来の伝統を継承する立場から見るとき、「顕」と「冥」の哲学として論じることができるのである。

4　他者の根源へ

「冥」の領域、すなわち他者の領域は、隠れた世界ではあるが、私たちは他者と関わりを持たなければ生きられないから、その関係のあり方は現象学的に捉えることができる。しかし、他者の領域はそれで終わるのかというと、さらにその奥がありそうである。顕と冥の両方を含むその根源を深めることは無意味なことであろうか。おそらく、それは西田哲学の用語によれば、「無の場所」として語られるものであり、仏教的に言えば「真如《しんにょ》」とか「法身《ほっしん》」とも言えるし、一神教的に言えば「神」の問題である。だが、そのような名づけ自体が拒否される。「無」と言っても捉えきれないし、そこでは「神」という名さえも失った「神」の根源と向き合うことになる。

この領域に立ち入れば、他者との関わりを超えることで、もはや現象学的な記述は困難となる。ここで「冥顕の哲学」第三部の形而上学的な領域に踏み込むことになる。その根源へ向かっては、先達の言葉や指導の下に手探りで進み、自ら体得していくしかない。暗黒の中をどこまで深く踏み込んでいけるのか。だが、その根源はまた、そこからすべてが生まれる源泉であり、光が生まれる源泉でもある。すべてを呑み込むとともに、すべてを産出するその根源を、『バガヴァッド・ギーター』は「カーラ」（時）と呼ぶ。

　その根源からもまた、言葉も発生する。それがやがて宗教的な聖典となる。聖典の言語は、通常の公共的言語とはまったく異なる次元のものであり、贈与される言語である。それは公共的言語のように分節化することはできないし、また、相互のコミュニケーションも成り立たない。私たちはその言語を啓示として受け入れ、読み解くことしかできない。公共的言語もじつは、その大本はこの「贈与としての言語」に由来している。贈与としての言語は、さまざまな形をとり、それぞれ異なった形で投げかけられるが、誰にどのような言語が与えられるか、私たちの側から選択することはできない。

　根源の言語は、マントラ（真言）のように意味化すること自体が不可能であり、そこから次第に形象化していく。それがある程度組織化され、体系化されたのが聖典である。聖典は、ひとまずは日常的な有意味的な言語のような形態をとるが、必ずしもそのままの意味で理解して済ませることはできない。もし文字通りに受け止めると、ほとんどナンセンスな言葉になってしまうことも少なくない。『華厳経』や『法華経』を読んでみれば、一応意味は通るものの、そのままでは壮大な空想譚に過ぎず、ほとんど随《つ》いていくことができないまま、投げ出してしまうことになるだろう。贈与された言葉を解釈するには、一方で内省と体験を深

公共性と他者の現象学

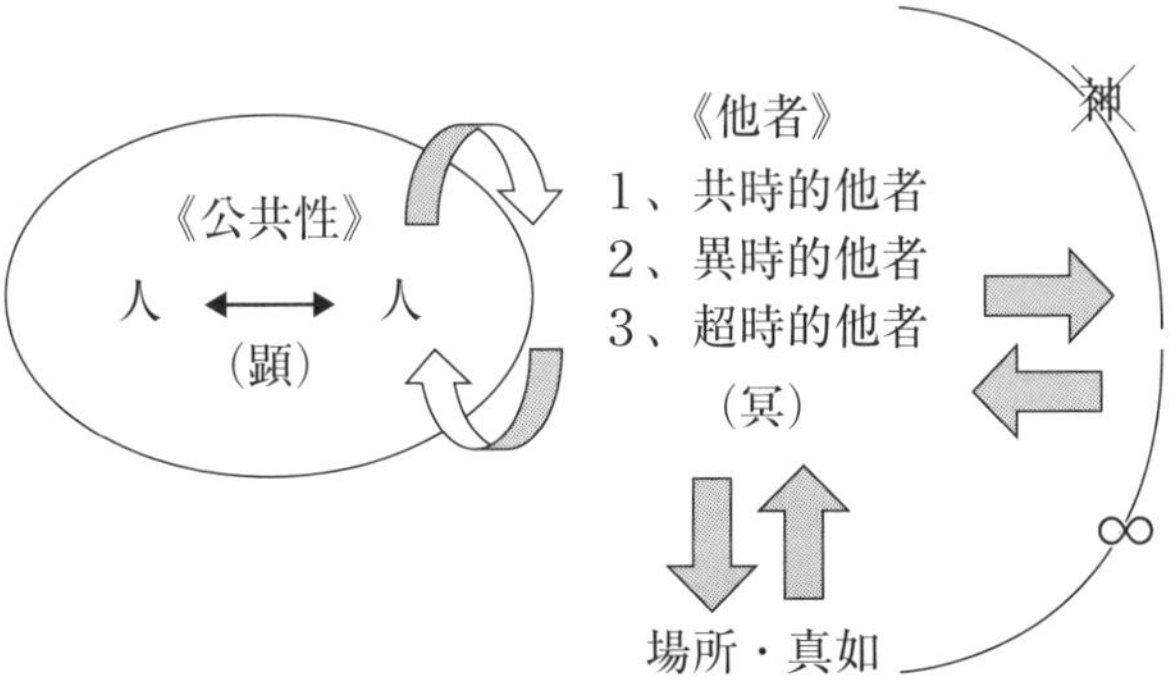

めるとともに、他方では伝統的な解釈を学び、適切な先達の指導の下に、聖典解釈学の領域に踏み込んでいくことが必要となる。聖典は万人に開かれながら、しかしその奥の意味はそれだけの深みに達した人以外には閉ざされている。

それはある意味では、哲学の領域を超えているとも言わなければならない。しかし、このように言葉が生まれ、意味を形成する過程で、まったく思いも寄らなかった広大な世界が開かれ、そこに私たちの行為の指針が示され、そして倫理が形成されていくことになるのである。

最後に、本章で論じてきた公共性から他者へ、そしてその根源へ、と進んでいく探究を、イメージとして理解しやすいように上のような図で表わしておく。

第六章　ポスト近代と菩薩の倫理学

一　菩薩の倫理学の形成

「菩薩の倫理学」という言葉を使うようになったのは、おそらく『岩波講座現代』に執筆した「仏教のアクチュアリティ――伝統思想をどう捉え直すか」（二〇一五年）からだったと思う。それ以後、何度か講演において用いてきた。この論文を含めて、私の哲学的な論文にまとめて手を入れ、『冥顕の哲学1　死者と菩薩の倫理学』『冥顕の哲学2　日本から興す哲学』の二冊本として出版した（ぷねうま舎、二〇一八、一九年）。この二書では、「菩薩の倫理学」ということが大きなテーマとなっていて、第1冊、第2冊のいずれにも関連する新稿を加え、私の考えをひとまず整理することができた。その後の『死者と霊性の哲学』（朝日新書、二〇二二年）では、その問題を「霊性」として、より一般化した形で考察した。その中でも、私の哲学の実践論的な帰結を「菩薩の倫理学」として展開した。

以前、『仏教vs.倫理』（ちくま新書、二〇〇六年。後に『反・仏教学』として二〇一三年に、ちくま学芸文庫で再刊）を出したとき、「仏教」と「倫理」を対立的に捉えていることが、かなり問題とされた。そこでは、「倫理」という言葉は、和辻哲郎を手引きとして、「人の間」の関係を規定するものと考えた。しかし、そのような「人の間」の枠に収まらないのが、理解不能でありながら関わらざるをえない「他者」であり、その「他者」の代表が「死者」である。そうであれば、「死者」を含む「他者」の領域では、通常の「人の間」としての倫理が通用しない。「倫理」と「他者」とは対立する。仏教は、そのような「他者」との関わりを積極的に問い直し、「他者」をも含む新しい世界を構築しようとする。「仏教」と「倫理」はこのような文脈で、相反的である。

しかし、このことが倫理を否定するというわけではない。本書第四章に述べたように、むしろ世俗的な倫理は、本来宗教によって裏づけられなければならない。そうでなければ、宗教の世界は世俗の世界から切り離され、通路を持たなくなる。『仏教vs.倫理』の段階では、

「他者」とりわけ「死者」との関係の発見ということが眼目となり、「他者」の領域が世俗的な倫理を超えることを強調したために、そこから世俗へと戻るルートが必ずしも十分に考察されていなかった。

「菩薩の倫理学」はこのような反省から、「他者」を含む領域でいかにして新しい倫理が成り立つかという問題意識のもとに、仏教史とりわけ『法華経』などの初期大乗経典を見直す中から形成されてきたものである。それと同時に、その背景には、今日の倫理崩壊の状況において、いかにして既存の常識にとらわれずに新しい倫理を築くことができるか、という問題意識があった。本章では、上記の拙著中の関連する章をもとにしながら、改めて「菩薩の倫理学」の今日における有効性を考えてみたい。

二　ポスト近代における倫理崩壊

故安倍晋三元首相は、「戦後レジームからの脱却」を合言葉に、就任以来、意欲的に新しい政治・外交を主導した。憲法の改編がその最大の課題として目指された。だが、ここで言われる「戦後レジーム」とは何であろうか。そして、そこから「脱却」するとはどういうことであろうか。「戦後レジーム」としては、しばしば戦勝国による押しつけ憲法によって軍事力を保有できないことが象徴的に挙げられ、それに加えて、中国や韓国から戦争責任問題を問われ続けるような状況を指すものと考えられた。そうした状況に終止符を打つことこそ、安倍元首相を先頭とする勢力の求めたことであり、熱烈な支持者のバックアップで実現間近にまで迫っていた。

だが、そこにはいくつか問題がある。最大の問題は、目指すところが「脱却」という消極的な言葉で表わされ、その先にどのような未来を描くのか、それが見えないということである。いったい何を理想として求めているのであろうか。その大きなヒントとなるのは、「普通の国」という合い言葉である。それは軍事力を持つ国という意味であろうが、目標とされるのが、個性のある国ではなく、個性のない「普通の国」として、多数の国の中に埋没することだというのは、あまりに拍子抜けすることである。何というささやかな願いであろうか。「誇りを持てる国」とも言われるが、いったい今の日本の何に誇りを持とうとするのであろうか。

その根底にあるのは、重要なのは個性ではなく、力による覇権であり、強さに価値を求めるということらしい。しかし、どんなに頑張っても世界一の覇権を握ることはできないのであるから、それならば、虎の威を借る狐で、強いものの後ろについていることが、もっとも賢明な策略とされる。いわゆる「核の傘」である。最強の勝者になるのではなく、勝者の子分であることを誇りにすること、これを私は「森の石松症候群」と呼んでいる。自分が親分になれないのならば、海道一の大親分の子分であることが、いちばんの誇りになる。どうやらそれが、今の日本の求めている方向のようである。

それに従って、個人の倫理もそのような国の方針に従うのが、倫理的ということになりそうだ。今のところ、戦後倫理の崩壊の後、倫理もまた行方を失った過渡的状況にある。それは一体、どのような状況であろうか。そのような時代は歴史的にどのように位置づけられるのであろうか。まず、その点から考えてみよう。

三　伝統の思考法と倫理

安倍元首相の公式サイトには、「美しい国、日本」とあり、「日本は美しい自然に恵まれた、長い歴史と伝統、独自の文化をもつ国です。日本人であることを卑下するより、誇りに思い、未来を切り拓くために語り合おうではありませんか」と書かれていた。「美しい自然に恵まれた、長い歴史と伝統、独自の文化をもつ国」は世界中、至るところにある。それこそ、まさしく「普通の国」である。問題はその「伝統」とは何なのか、ということである。

私は日本の伝統を三つに分け、非常に単純に大伝統・中伝統・小伝統と呼ぶ。大伝統は近世までをひっくるめ、中伝統は明治から第二次大戦の敗戦まで、そして小伝統は戦後を指す。いまやその小伝統も終わり、その後のポスト近代に突入している。それぞれの伝統については第四章に略説したが、ここで改めて倫理との関連からざっと見てみよう。

1　大伝統

大伝統は非常に長い期間を含むが、九世紀はじめの平安初期までは大陸文化の導入による模索期であり、その後の九世紀中葉から中世へかけてが、もっとも典型的な大伝統の思考様式となる。それは、次頁の上の図のように、王権と神仏とが緊張関係を持ち、その中間に学芸・文化や人々の生活の領域が展開するという構造になっている。このように、権威・権力を持つものが二極に分かれ、その間に緊張関係のあるのが、日本の文化の特徴である。しかも、神仏の領域は当然ながら神と仏の関係を含み、他方、王権の側も天皇を中心に置く朝廷と将軍を中心とした幕府とが緊張関係に立つ。このような重層性が大伝統の特徴である。

近世になると、王権とりわけ将軍権力が伸長するが、しかし、神仏の役割が消えるわけで

日本思想史（大伝統）の構造

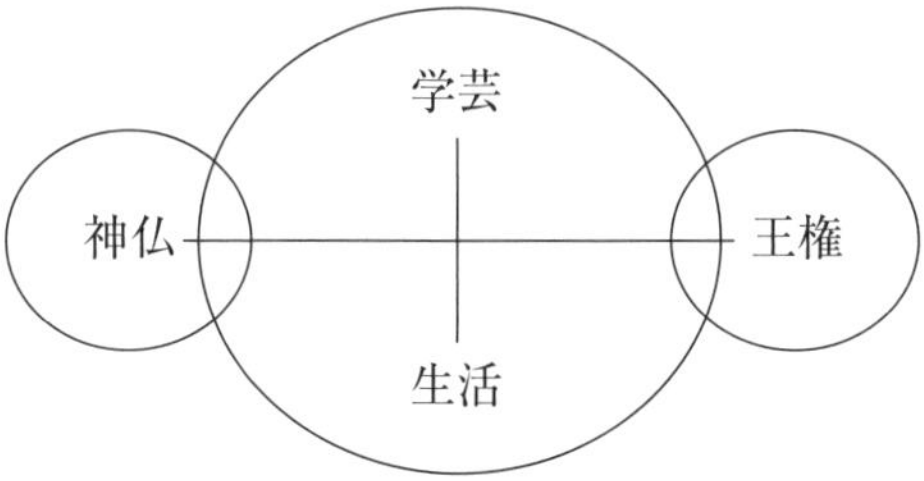

近代「国体」（中伝統）の精神構造

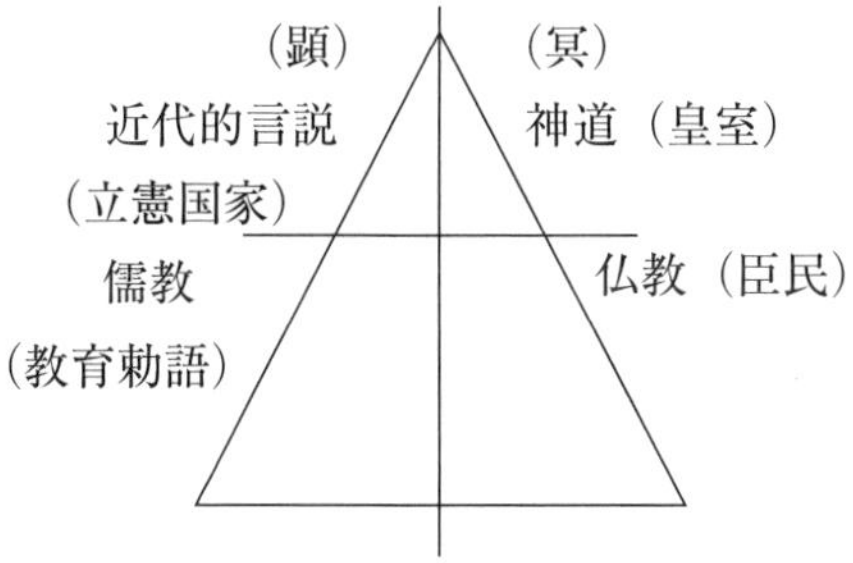

はない。徳川の権力は、家康を天台の神道の形式で祀った東照大権現によって保証される。それに対して、幕末の尊王論は復古神道によって支えられた。したがって、大伝統全体を通して、王権と神仏との緊張関係を基《もとい》に考えることができる。ここでは、倫理もまた一元化しない。王権へと向かう倫理は儒教によって規制されるが、神仏に基づく倫理は別の原則に従う。仏教では、来世への畏《おそ》れや希望が倫理の基準となり、それは庶民の間に根づくが、もう一方では、中世後期以後に、神罰への畏れや清浄・正直を重んずる神道的な倫理も確立する。

これを中国の場合と較べてみると、その相違は明白である。中国も異民族が支配する時期には複雑な構造をとるが、基本的に漢民族の支配する儒教体制の場合、超越的な天が絶対性を持ち、天に承認されることで皇帝の権限が保証される。その下に科挙を通った官僚である士大夫《したいふ》階層が、知識人として政治的にも文化的にも中核を担う。天はまた、個に内在化した性として、儒教的な倫理の原理となる。一般の庶民は、文化の中核である士大夫階層の下に位置づけられ、支配と統制を受ける。庶民の間では、必ずしも正統的な儒教倫理が絶対性を持つわけではなく、仏教や道教の原理も有効性を持つ。

2　中伝統

右記のような大伝統は、明治維新によって大きく転換する。そこに成立するのが中伝統である。中伝統は、大伝統の重層構造を解消して、天皇を頂点とする一極構造をとるところに特徴がある。大伝統が、中国を中心とした東アジア世界の中で自文化の統合性を維持するところに成立したのに対して、中伝統の課題は、近代科学によって装備され、アジアに進出する西洋文化といかに対峙するかということであった。そこに成立したのが、「万世一系」の天皇を頂点とする一元化された「国体」である。それは、国家制度面において大伝統をすべて解体して新たに作り直すという、まさしく「革命」と称してよい大変革であったが、その際、「復古」を合い言葉に、大伝統確立以前の日本に戻すという、とてつもない巨大なフィクションの上に新しい制度を作り上げた。それが「万世一系」神話である。

その中伝統の国体は、天皇を頂点としたピラミッド構造をとり、その上部構造に近代的な科学技術や制度を導入し、立憲国家として形態を整えた。しかし、その底辺を作る倫理は、教育勅語に基づく日本的な儒教倫理によって支えられていた。それは、孝という家族倫理を根底において、それを広げるところに天皇＝国家への忠を位置づけるものであった。なお、その裏には、「冥」の領域としての祖先崇拝が重視され、皇室＝国家の祖先崇拝が神道であり、それに対して家の祖先崇拝は仏教が引き受けるという構造が出来上がった。

3　小伝統

このような中伝統が崩壊するところに、戦後の小伝統が形成される。中伝統が、近代という普遍性を国体という特殊性を通して受け止めようとしたのに対し、小伝統は西洋近代の理念をそのまま普遍的なものとして受け入れる。そこに、日本国憲法の中心的理念である平和と基本的人権が主張されることになる。小伝統の「戦後レジーム」は、まさしくフランス革命以後の西洋近代で求められた理想を正面から掲げるものであった。それは普遍的な真理であるから、日本という特殊性が顧慮されることはない。あらゆる人間が理性に従うならば、当然認めなければならない真理とされる。日本の個性は、敗戦国であり、被爆国であるがゆえに、戦争を放棄し、普遍的理想の実現に向かって先頭に立つというところに認められる。それ故、そこでの倫理の原理は、普遍的理性に合致するという点にあることになる。そして、人は次第に理性的になり、やがて理想が実現するという進歩主義が成り立つことになった。

だが、実際の小伝統は、このような理想と現実とのギャップを最初から持っていた。小伝統の最初は、米軍が持ち込んだ、きわめて政治的な次元からの近代的理念の押しつけと、中伝統が実際には解体には至らない曖昧な妥協の中に形成され、さらには、その平和主義は「アメリカの核の傘」というきわめてキナ臭い現実に裏づけられるという重層的な構造をとっていた。それ故、近代的理想主義はそのごく表層においてのみ成り立つ危ういものであった。

4　ポスト近代

今日、もはや近代の理性主義の普遍性が成り立たないことは明白になっている。そこに、今日の脱近代（ポストモダン）的状況がある。「戦後レジームからの脱却」は、小伝統が目指す近代の理性主義、進歩主義、理想主義からの脱却を意味する。それ故、ポスト近代は決して一時の流行思想の問題ではなく、現に今日の社会的、政治的状況として実現されることになったのである。そこに安倍元首相の鋭敏な時代認識があった。そしてその裏で、小伝統で軽視された宗教と国家の癒着が進むことになった。その癒着ゆえに安倍元首相が凶弾に倒れることになったのは、ポスト近代を象徴する出来事であった。

こうして、小伝統において当然とされた理性に従う倫理はもはや成り立たなくなっている。今日の倫理崩壊は当然の帰結である。安倍元首相の下で新たに目指された倫理においては、隠蔽や虚言も国家利益のためには認められるというポスト真実の方向性が明瞭となった。それは序章に述べたように、国家のカルト化の方向であり、一時的に後退しても、今後はその方向がさらに強められ、倫理を国家に吸収していくことになる可能性はきわめて大きい。それが近代の理性の優越に代わる新しい基準となっていく趨勢である。

四　死者といまだ生まれざるもの

このように、ポスト近代における倫理の方向づけを見ることができるが、それですべて解決できるかというとそうでもなく、それとは異なる可能性がないわけではない。というよりも、長いスパンで見た場合、国家への倫理の吸収は結局のところ一時逃れに過ぎず、十分に根拠づけられたものではありえない。それ故、いずれはメッキが剝げて、さまざまな批判を受けることになるであろう。それに対しては強権をもって弾圧することで、ある期間の延命を図ることはありうることであり、それがどのくらい続くかは断定できない。しかし、十分な理論的基礎づけを持たない力の行使は、必ずどこかで行き詰まるに違いない。

研究者の使命とすべきは、早急に役に立つ便法的な処方箋を提出することではない。そうではなく、いずれ表面的なやり方が行き詰まったときに、もっとも根底から問題を問い直し、本当に持続できる倫理を立ち上げることができるように、じっくりとした議論を重ねていくことである。おそらく今すぐにはごく少数の人しか関心を持たないであろうが、それで構わない。長い目で見て、それがもっとも納得がいくものとして支持を広げていくような、本当の原理を探究することである。

ここでまず触れておきたいのは、近代的な倫理は、個人の自立を前提としているということである。理性に従って、合理的に思考し、行動できる一人前の人間が集まって社会を構成するというのが、近代の社会契約説である。ところが、近代の崩壊はそのような自律的な個人を理想視することへも疑問を突きつけた。第四章で述べたように、トマス・カスリスによれば、人間観には、自己統合型（インテグリティー）と他者親密型（インティマシー）という二つの類型を考えられるという。自己統合型は、理性を働かせることで自己の行動を適切に統御できるあり方で、自立的な個人という近代の考え方に当たる。これに対して、他者親密型は、他者との関係の中で自己を変動させるようなあり方である。近代的な啓蒙の発想は、自己統合型こそが普遍的に通用する一人前の人間のあり方であり、それに対して、他者親密型の発想はいまだ一人前になっていない不完全な人間のあり方だとする。自己統合的な人間観は西洋近代において確立したもので、他の地域もそれを目指して進まなければならないというのである。

しかし、近代の崩壊の中で、自己統合的な人間観の優位も揺らぐ。カスリスは自己統合型を普遍的として、他者親密型を不完全とするような見方は不適切であり、他者親密的な人間のあり方も認めるべきだと主張する。実際、一九八〇年代以来、フェミニズムと連動して発展してきたケアの倫理学は、カスリスの他者親密型に近い発想に立ち、従来の自己統合型の発想が男性優位の偏った見方であることを明らかにしてきた。こうして、近代の普遍性は、じつは西洋・近代・男性・成人優位の差別の上に成り立っていた特殊なもので、改めて非西洋・中世・女性・子供や老人のあり方の復権がなされなければならなくなった。

他者親密型の人間観の復権やケアの倫理は、従来の近代の普遍性を覆す大きな一歩であるが、そこでは他者の問題が必ずしも十分に考察されていない。他者とは、理解不可能でありながら、それでも関わらなければならない何者かである。近代的普遍性の立場では、誰でも理性を働かせるならば、同一の行動原理に到達するはずであるとされ、そこに倫理の原則が求められた。しかし、そのような普遍性の消滅により、他者の不可解性に否応なくぶつからざるをえなくなった。他者は、私とは共通性を持たない、異なる原則に拠って行動しているのであり、私はそれを見透せない。しかし、私は個人だけで自律して生きてゆくこともできず、その他者に依存しなければならない。そこで、いかに他者と関わるかということが、倫理の根本問題として浮上する。

その他者の中でももっとも典型的に他者的な他者として、死者を考えることができる。死者は、まさしく理解不能でありながら、関わらざるをえない何ものかである。そこから、生者だけでなく、死者もともにある世界を考えなければならない。そのことは、個人的なレベルの問題に留まらない。戦争や災害の死者とどのように向き合うかは、政治の問題であり、社会の問題である。私は、生者が相互に理解可能な公共的な世界を「顕《けん》」、理解不可能な他者とともにある世界を「冥《みょう》」と呼んできた。死者と関わらざるを得ないということは、もはや現世的な生者の世界、すなわち「顕」の世界だけでは倫理は成り立たなくなり、現世を超えた「冥」の世界まで含み込まなければ倫理が成り立たないということである。死者について、また、「顕」と「冥」の世界観については、本書でもたびたび取り上げたてきたので、ここでは深く立ち入らないが、二点のみを指摘しておきたい。

第一に、死者の問題は、個人のレベルだけでなく、公共的な問題でもあるということである。そのことは、戦争や大災害の死者の問題を考えれば明らかであろう。そのような死者とどのように向き合うかは、国家や政治の問題にも関わってくる。

第二に、死者は近い過去に限定されるわけではない。例えば、今日でも靖国神社に戊辰戦争の幕府側の死者が祀られていないことが問題になり、彼らを祀ることを求める運動が政治家の中からも起こされている。かつて歴史の記憶論が唱えられた。過去はあくまでも記憶してのみあるのだという議論である。そうであれば、直接記憶している人たちがいなくなれば、過去の死者はもはや問題ではなくなってしまうはずである。ところが現実は、死者の問題は記憶という心理的問題に解消できず、百年以上たっても生々しい問題として問われるのである。

ところで、最近私が考えているのは、過去の死者だけでなく、未来のいまだ生まれざる者たちに対して、どのように関わり、どのように責任を取るべきかという問題である。死者はかつてこの世に個として存在した者であり、たとえ時間の経過の中で輪郭が曖昧となり、融解していったとしても、その過去は歴然として消すことはできない。しかし、いまだ生まれざる者たちは、そもそもいまだまったくの空無であり、何者がどのような形で生まれるのかもわからない。もちろん近く生まれるであろう子や孫の世代に関しては、まだ想像が及ぶであろうが、それより先になったら、茫漠として捉えどころがない。そのように、いまだ形もない者たちに対してまで、私たちは倫理的であらねばならないのであろうか。

だが、現実の問題として、私たちの営みはいまだ生まれざる者を考慮に入れなければ成り立たない。近年の自然災害は、しばしば数百年に一度と言われるような規模で起こり、その対策は百年単位で考えなければならない。環境汚染の対策にしても同様で、とりあえずの応急処置では済まない段階となっている。まして原子力発電所の使用済み核燃料をどう廃棄するかという問題は、十万年先まで考えなければならない。そんな遠い未来は空想に過ぎないとは、誰も言えなくなっている。普遍的理性が通用しているとすれば、たとえ時代が変わっても理性による判断は変わらないはずであるから、取るべき行為は必然的に決定することになる。それ故、死者もいまだ生まれざる者も関係ない。そのような理性の無時間的真理性が成り立たなくなると、そこでは時間の壁が大きく立ちはだかり、理解不能の過去と未来への対処が要請されてくることになる。

このような未来の問題は、確実に私が死んだ後に関わる問題である。死んでしまえばそれでおしまいで、それ以後のことは関係ないとは言えないのである。いわば、死後責任とも言うべきものを考えなければならない。死後責任は、別の言い方をすれば、私が死者となったときに、未来の生者とどのように関わるかという問題である。生者である私が過去の死者と関わらざるを得ないとすれば、今度は未来においては、死者として生者と関わらなければならないのも当然である。親鸞（もとは曇鸞《どんらん》）の言葉を使えば、生者としての往相《おうそう》に対して、死者としての還相《げんそう》のはたらきが要請されることになる。

生者として死者に関わるということだけでも、従来の倫理では答えようのない途方もない問題であるのに、今度は、自らが死者として未来の生者といかに関わるかなどと、とてもまともには論じられないのではないか。それでもなお、倫理があり得るのであろうか。そこでは、現世を超えて成り立つ倫理が求められなければならない。それはどこに求められるのであろうか。じつはそれは不可能なことではない。それこそ、かつて仏教が育んできた菩薩の理想ではないか。仏教はそんなとんでもないことを考え、実践してきたのだ。

考えてみてほしい。宗教施設は千年昔からのものが今日でも継承されて、活動している。千年前の政治や生活の場は、遺跡としてしか残らない。しかし、寺院は火災で焼失するようなことがあっても、法隆寺のように、木造建築が今日まで遺《のこ》っている場合もある。寺院は千年先まで遺っても当たり前なのだ。仏教は死後をも問い、配慮してきた。その知恵を古臭い迷信として捨て去るのでなく、そこに学ばなければならないのは当然ではないのか。

五　菩薩思想の原点

菩薩という思想は、言うまでもなくインド仏教に発する。もともと釈迦仏の前世譚（ジャータカ）として形成された。現世で悟りを開いて仏陀となるのは、現世での修行だけでできるはずがない。前世において繰り返し善行を積み、修行を成熟させていたので、現世で悟りを開くことができたのだ、というのである。このように、悟りを開く前の仏陀が菩薩である。菩薩とはボーディサットヴァの訳であるが、「ボーディ」は悟り、「サットヴァ」は衆生であり、もともとは「悟りを求める衆生」の意であると考えられる。「衆生」というのは、六道（地獄・餓鬼・畜生・修羅・人・天）に輪廻する存在であり、人間だけに限らない。私たちも輪廻すれば、来世でどのような存在になるか分からない。

菩薩の特徴は、自利とともに利他を目指すところにあるとされる。自利はもちろん、自分の悟りを目指して修行を積むことであるが、それだけでなく、他者を助け、他者の幸福を増進させ、最終的には他者をも悟りに達するようにするのが利他である。そのための実践項目として、六波羅蜜《ろくはらみつ》があげられる。六波羅蜜とは布施《ふせ》・持戒《じかい》・忍辱《にんにく》・精進《しょうじん》・禅定《ぜんじょう》・智慧《ちえ》であり、それらの徳目を完全なまでに実現するのが「波羅蜜」である。その中で、主に布施が利他に関わる。利他ということは、初期仏教の実践においては必ずしもはっきりした形では説かれておらず、ジャータカにおいてはじめて明確な形をとるようになった。

このように、菩薩とはもともと、すでに悟りを開いた仏の前世譚として形成されたものだが、大乗仏教になるとそれが新たな展開を示すようになる。もともとこの世界に同時的には仏は一人だけと考えられたが、大乗仏教ではこの世界の外に「他方世界《たほうせかい》」を認めるので、そうなるとそれぞれの世界に仏の存在が可能となり、多仏の同時存在が認められるようになる。それとともに、菩薩もまた無数に存在することが認められるようになった。

このような多数の仏・菩薩の思想には、両面が考えられる。一つは、仏・菩薩はその利他のはたらきによって私たちを救ってくれるという救済者の側面である。例えば、法蔵菩薩が阿弥陀仏となり、その世界である極楽に私たちを救い取ってくれるというような信仰に典型的に見られる。その一方で、仏や菩薩は私たちの模範であり、私たちでも同じような実践を積み重ねていけば仏になることができると考えられるようになった。もちろんそれは容易にはできないであろう。しかし、長大な時間をかけて輪廻を繰り返しながら利他の行《ぎょう》を積んでいけば、やがて理想の仏に至るということは、十分に可能性のあることである。

以上のような菩薩の実践を整理すると、二つの大きな要素のあることが知られる。第一に、菩薩の実践は徹底的に他者と関わるということである。それは、自己統合的であるよりは、他者親密的な人間観に立つ。第二に、菩薩の実践は現世だけでは完結しない。理想を実現するためには、自ら進んで輪廻に身を投じ、無限の彼方へ向かって実践していくことが要請される。この第二の点は、ある意味では躓きの石となる。無限に輪廻を繰り返すなど、おとぎ話に過ぎないではないか。近代の合理主義を経た今日、到底そのまま信じられない話で、それはおかしなカルト的信仰と同類ではないのか。しかも、輪廻説は現世における差別を合理化すると見られ、そこから近代の仏教者は、輪廻の問題を隠蔽しようと努めてきた。だが、それでよかったのか。

これに対しては、先に述べたように、今日、もはや現世だけで倫理を構築することはできなくなっていることに、改めて思いを致す必要がある。私たちははるかな過去の死者と関わり、またはるかな未来のいまだ生まれざるものと関わらざるをえない。そうとすれば、そこでは一回限りの生死の範囲は完全に超えられている。そうなれば、無限の輪廻を認めてもよいのではないか。それはたしかに直線的に過去から未来へと流れる時間の観念とは相違する。しかし、直線的な時間が唯一の時間のあり方なのだろうか。時間にはもっと複合的で、さまざまな流れがあるのではないか。例えば、何十億光年も離れた星を観察するとき、じつはそれだけ過去の星を見ているのであって、過去は現在と共存している。単純に時間を一方向に等間隔に過ぎていくものと考えるのは間違っている。それ故、輪廻する時間というのも、十分に可能であろう。

その際、注意すべきは、以下のことである。もともとの仏教の原則では輪廻は苦しみを生むだけであり、輪廻の苦からの離脱こそが解脱《げだつ》であり、涅槃《ねはん》であって、仏教の求める理想であったはずである。輪廻をそのように捉える限り、菩薩の実践は出てこない。大乗仏教の菩薩にあっては、輪廻こそ求めて飛び込む世界となる。輪廻を繰り返しながら、利他の実践を積んでいく。そこに三阿僧祇劫《さんあそうぎこう》とも言われる菩薩の遠大な実践が展開する。消極的な輪廻から積極的な輪廻へ——菩薩の実践では、その大きな転換がなされる。輪廻は厭うべき苦の世界ではなく、求めるべき希望の世界である。現世で理想が実現できなくてもよい。現世で努力したら、その続きは来世に持ち越される。理想を諦めることはない。ゆっくりとでも前を向いて進んでいけばよい。

六　存在としての菩薩と実践としての菩薩

大乗仏教において、菩薩についての思索を画期的に深めたのが、『法華経』であった。『法華経』は全二十八品（章）からなるが、古典的には、それを半分ずつに分け、前半（安楽《あんらく》行品《ぎょうほん》まで）を迹門《しゃくもん》、後半（従地涌出品《じゅうじゆじゅっぽん》から）を本門としている。しかし、近代の研究では、方便品《ほうべんほん》第二から授学無学人記品《じゅがくむがくにんきほん》第九までを第一類、序品《じょぼん》と法師品《ほっしほん》第十から嘱累品《ぞくるいほん》第二十二までを第二類、薬王菩薩品《やくおうぼさつほん》第二十三以後を第三類と分けるのがふつうである。第三類はさまざまな菩薩の実践の具体例を説いたものであるからひとまず置いて、第一類と第二類の関係が問題になる。私は、第一類は「存在としての菩薩」、第二類は「実践としての菩薩」を説くものと考えている。その点をもう少し検討してみたい。

第一類は、方便品を中心として、そこでは伝統的に「会《え》三帰《さんき》一《いつ》」、あるいは「開《かい》三《さん》顕《けん》一《いち》」

を表わすものとされている。すなわち、仏は三乗（声聞《しょうもん》・縁覚《えんがく》・菩薩《ぼさつ》）の三つの道を説いたが、実際にはそれらは唯一の仏乗《ぶつじょう》に帰着するというのである。細かい教理的な議論を別とすると、仏乗というのは仏になる道であるから、現状は菩薩として仏の悟りを目指しているということになる。それ故、さまざまに道が分かれているように見えても、最終的には菩薩の道しかないということになる。すなわち、「一切衆生は菩薩である」、あるいは「一切衆生は菩薩でしかありえない」ということに他ならない。それはどういうことであろうか。一切衆生は必ずしも菩薩の行《ぎょう》を実践しているわけではないのに、どうしてそのように言えるのであろうか。

菩薩の実践の根本を考えると、そもそも利他の実践がなされ得るためには、他者と関わるということがなければならない。「一切衆生は菩薩である」ということは、一切衆生は他者との関わりなしにありえないと解することができる。カスリスの言葉を使えば、自己統合的でなく、他者親密的であることが、本来の衆生のあり方ということになる。他者との関係は必ずしもプラス方向のこととは限らない。互いに憎しみあったり、傷つけあう関係もあるであろう。たとえそうであっても、それもまた他者との関係であり、それを離れて私が単独であることはできない。それが、「存在としての菩薩」ということである。

譬喩品《ひゆほん》第三以下の第一類の残りのすべての章では、舎利弗《しゃりほつ》をはじめとする声聞《しょうもん》たちが、じつは菩薩であったということが明らかにされ、声聞たちもそのことを自覚するという話が、延々と述べられていく。声聞というのは、他者との関係なしに、自己で完結した悟りに安住するあり方である。自己統合的なあり方と言ってよい。釈尊は彼らに向かって、彼らが決して自己完結しているのではなく、他者との関係が不可避であり、それ故、菩薩なのだと教える。それは、無限の過去の過去から釈尊が彼らと関わり続け、彼らを教え続けてきたということである。釈尊こそ、決して離れることのない他者である。彼らはそのことを忘れてしまっている。釈尊はそのことを想起させるのである。忘却していたことの想起が、彼らに本来の菩薩としてのあり方を自覚させる。声聞もじつは菩薩であり、他者との関係なしにはありえない存在だったのだ。だからこそ、彼らもまた、これから菩薩の行を積み、やがて仏として完成することができるのだ。

それでは、その菩薩の行とはどういうことであろうか。それが、『法華経』の第二類で明らかにされる「実践としての菩薩」である。第二類では最初の法師品第十をはじめとして、菩薩の実践が説かれる。それらは基本的に『法華経』の受持《じゅじ》を中心とするが、私たちの議論の流れからすれば、「実践としての菩薩」は『法華経』を媒介としながら、他者と積極的に関わり、他者救済へと向かうことが根底にあると考えられる。その際、注目すべきは、次の見宝塔品《けんほうとうほん》第十一である。見宝塔品では東方宝浄国の多宝如来が出現する。多宝如来は、他の世界において『法華経』が説かれるときに出現しようと、死後もミイラ状態となって宝塔の中に納まっていたが、釈尊が『法華経』を説いていると知って、娑婆世界に現われたのである。まさしく死者としての仏である。その死者である仏と生ける釈尊とが並び、一体となることで、仏の力は全開する。それが、如来寿量品《にょらいじゅりょうぼん》第十六に出る久遠《くおん》の釈尊である。

久遠の釈尊の開顕《かいけん》は、伝統的にも『法華経』後半部分（本門）の中心教理とされてきた。すなわち、八十年の寿命を有する歴史上の釈尊は、じつは衆生救済のための方便であり、本当の釈尊は久遠の昔に成仏し、永遠の寿命を保つというのである。そのことはたしかに本経の中心と言ってもよいが、それが成り立つためには死者としての多宝如来との一体化ということが不可欠だったのである。

こうして、死者の力を得て、仏のパワーが全開する。そうなると、それを支える菩薩の実践も、それだけの覚悟と力を要する。それが従地涌出品第十五に出る地涌《じゆ》の菩薩である。もちろんそれは、「一切衆生は菩薩である」とされる「存在としての菩薩」と別のものではない。しかし、「存在としての菩薩」がそのまま直ちに「実践としての菩薩」になるわけではない。

そこには、死者を受け入れながら、未来へ向けて新しい世界を造っていく決意が必要だ。それが地涌の菩薩である。このように、『法華経』は「存在としての菩薩」から「実践としての菩薩」への展開を説いている。それが後の菩薩の倫理学の方向を大きく規定していくことになる。

七　日本における菩薩の理念

仏教はしばしば瞑想を重視し、現実社会から退き、社会的実践に乏しいと考えられてきた。しかし、そうであろうか。日本仏教の歴史を見れば、行基《ぎょうぎ》から始まり、叡尊《えいそん》・忍性《にんしょう》ら、多くの僧が社会的実践に尽くしてきた。そのような流れを決定づけたのは、最澄による大乗《だいじょう》戒《かい》の採用である。最澄は、従来の具足戒《ぐそくかい》の代わりに『梵網経《ぼんもうきょう》』に基づく大乗戒を採用し、その授戒《じゅかい》のための戒壇《かいだん》を比叡山に造ることを提案した。これは、まさしく菩薩僧の育成を目指すものである。『梵網経』の大乗戒（梵網戒）は、もともと菩薩として活動することを誓うものであるが、実際の出家者の教団を形成し、生活規則を造るには不適当である。そこで、中国では出家者の授戒には具足戒を用い、梵網戒は出家者・在家者にともに授けられた。具足戒は初期仏教以来用いられてきたもので、部派により多少の相違はあるものの、日本以外のアジアの諸地域で広く用いられてきた。ところが最澄は、それは小乗戒であり、大乗の菩薩にはふさわしくないとして、その代わりに出家者の戒として梵網戒を用いることを主張したのである。これは破天荒の主張であり、出家者と在家者との区別を曖昧にすることになる。ところが、最澄はそれを「真俗一貫」と呼び、かえって梵網戒の優れたところだと見ている。このことは、その後の日本仏教の戒律弛緩や戒律無視につながる大きな問題となったが、最澄からすれば、菩薩の精神は僧俗の区別を超えるものであり、それを指導するのが僧だということになるのであろう。

最澄は、大乗戒壇の勅許を求めて『山家学生式《さんげがくしょうしき》』を提出したが、最初の六条式（八一八年）によれば、養成すべき菩薩僧に、国宝・国師・国用《こくゆう》の三種類があるという。「国宝」については、「道心を宝とするなり。道心有る人を名づけて国宝と為す」と述べた後、「古人」の言として、「照千一隅《しょうせんいちぐう》」（千里を照らし一隅を守る）が国宝だという有名な言葉を挙げる。「国宝」は、「能行能言《のうぎょうのうげん》」（実践にも理論にも能力がある）の人で、「国師」は、「能言不能行」（理論はできるが実践は不向き）の人であり、「国用」は逆に「能行不能言」（実践はできるが理論は苦手）の人である。国宝は、「常に山中に住して、衆の首となる」ような、国の精神的な指導者である。国師と国用は官命によって各地方に派遣され、伝法や講師となるが、国から支給される法服や施料は、池を造ったり、荒地を拓いたり、橋や船を造るなど、人々の役に立てるようにすることが勧められている。

このように、最澄は、どこまでも菩薩の精神を生かして人々を指導し救済するところに、大乗仏教の理想を求めたのである。最澄滅後に大乗戒壇が認められて、比叡山に学ぶ僧は梵網戒によって出家するようになった。このことは、アジア諸地域の仏教の中で、日本の仏教だけが異なる種類の戒律を採用することになり、日本の僧は外では正式の出家者と認められない場合も出てきた。これは、中世に中国に留学した禅僧たちにとって深刻な問題となり、東大寺戒壇で具足戒を受けたという偽の戒牒《かいちょう》を造ることさえもなされた。そのような問題点を含みながらも、最澄はそれだけ強く菩薩ということにこだわったわけである。

最澄の菩薩論は現世的な活動というところに重点が置かれていたが、その後の展開の中で、もともとの大乗経典に見られた、現世を超える菩薩という理念を生かした活動も見られるようになる。そのような例として、千観《せんかん》（九一八―九八三年）の『十願発心記《じゅうがんほっしんき》』（九六二年）を挙げることができる。千観は、『往生要集』の著者源信に先立つ平安中期の学僧で、浄土信仰者としても知られる。千観の『十願発心記』は、諸仏・諸菩薩に倣って自らも十の願を立て、実践しようとした。その願は、まず阿弥陀仏の極楽浄土に往生して、それからさまざまな衆生救済に努めようというものである。例えば、第六願では、「第六の願にいわく、十方世界《じっぽうせかい》三災劫《さんさいごう》の中に我能《よ》くその中に往《ゆ》きて、長者の身をもって、その飢渇の苦を救い、大医王身《だいいおうしん》を現じて、その疫疾《えきしつ》の苦を療し、慈善根の力をもって、刀兵の瞋《しん》を除かん。……凡そそれ弘誓《ぐぜい》の本願は、薬師如来のごとくならん」と誓われている。薬師如来のようにありたいというのは、いかにも誇大妄想のようであるが、菩薩の原点を考えれば、必ずしも不自然ではない。

その後の時代になって、親鸞は往相廻向《おうそうえこう》と還相廻向《げんそうえこう》という二種廻向の説を唱え、浄土に往生して（往相廻向）、それからこの世界に戻って衆生救済のために働く（還相廻向）という菩薩の理念を高く掲げ、千観の理想を理論化することになった。

八　ポスト近代と菩薩の倫理学

本書でたびたび述べてきたように、今日、かつての伝統は崩壊し、とりわけ小伝統の核となる近代の理性主義はもはや成り立たなくなった。その中で、倫理は崩壊し、ポスト近代において、倫理の国家への従属が進められつつある。だがその一方で、これまで十分に問われなかった、死者との関わり、そしていまだ生まれざる者との関わりが新たな問題として浮上し、彼らとの関わりを織り込んだ実践倫理の確立が避けられない課題となっている。そうした状況で、私が新たな拠り所として提示したのは、大乗仏教の原点に戻る菩薩の倫理学である。それは、現世を超えて他者と関わり、他者とともに幸福を求めてゆくものである。果たしてそれが広く受け入れられるものかどうか、さらに検証され、鍛えられていかなければならない。しかし、理想と希望の失われた時代の中で、新たな理想と希望を生み出す倫理を構築しうる大きなヒントとなりうるのではないか、と私は考えている。

今日でも日本の多くの仏教諸宗で唱えられるものに、四弘誓願《しぐせいがん》がある。これはもともと天台智顗《ちぎ》に原型があるもので、宗派によって言葉の違いは多少あるが、標準的なものは以下のようなものである。

衆生無辺誓願度　辺際もしれない衆生をすべて救うことを誓います
煩悩無尽誓願断　尽きることのない煩悩をすべて断ずることを誓います

法門無量誓願学　量りしれない膨大な真理の教えをすべて学ぶことを誓います
仏道無上誓願成　この上ない最高の仏の悟りを成就することを誓います

こんな荒唐無稽とも言える壮大な理想が、現世の範囲で実現できるはずもない。だが、その理想は究極の目標とも言うべきもので、誰もがその実現を願っている。それならば、無限とも言える時間の中で、ほんの少しずつでも前進していこうではないか。それこそが菩薩の根本の願いなのである。

無限の衆生の救済を誓い、最高の理想へ向かって進む。とてつもない壮大な理想が、実践目標として誓われている。それは、現実味のない空想で、まともに相手にできないような馬鹿馬鹿しいことだろうか。だが、日本の多くの仏教者が、実際に毎日、この誓いを唱えている。そうであれば、ただ無視してしまうのではなく、もっと真剣にその理想を考えてもよいのではないだろうか。たとえ現実に実現できる可能性が薄くても、それでも希望と理想を失ってはいけないのではないか。現世で直ちには実現不可能でもいいではないか。無限の時間をかけながら、その方向へ向かって、蟻のような歩みでも一歩一歩進んでいくことは、決して馬鹿げたこととは思われないのである。

終章　未来へ向けて——百年後の幸福

一　ユネスコ憲章が目指すもの

コロナ禍の中で、二〇二一年には一年延期された東京オリンピックが開催された。日ごとに爆発的に増える感染者数に怯えながら、テレビでは一日中無人の競技場からアナウンサーが興奮の声を伝え、空前の金メダルラッシュに日本中が沸き立った。ＩＯＣの一役員が言ったように、まったく異なる「パラレルワールド」が、同時に同じ場所で進行するというＳＦ的状況の出現に誰もが途惑った。理念もモラルもどこかへ吹き飛んだまま、手のつけようのないアナーキーな状態が続いた。挙げ句の果てに、大会組織委員会の元理事をめぐる贈収賄事件や入札の談合事件が次々と暴かれることになった。オリンピックに未来への希望が託されていたのはいつの日のことだったのか。もはや文明の進歩が幸福をもたらすという近代の理念は消え失せ、コロナが終息した後でも、以前と同じようなバラ色の成長の夢が戻ってこないことは誰の目にも明らかになった。

近代の終焉とポスト近代は、少し前からはじまっていた。それを典型的に示したのがドナルド・トランプであった。アメリカ第一を掲げ、国境に壁を築き、差別と分断によって強さを誇示して、平和や人権という近代の理念の終焉を明確に示した。ポスト真実と言われるように、SNSを駆使してありえないガセネタを垂れ流し、相手をフェイク呼ばわりすることで圧倒し、挙げ句の果てには陰謀論によって選挙の不正を言い立てた。小トランプともいうべき安倍晋三もまた、ネトウヨの熱烈な支持を受けて、ポスト真実時代の幕を開いた。彼らが一時退いたとして、一度開いたパンドラの箱が元に戻ることはない。

ポスト民主主義の盟主として君臨するプーチンと習近平の強権主義、覇権主義を合わせれば、ポスト近代の世界の方向ははっきりしている。コロナを大きな徴表として、急激な地球環境の悪化は、人類の存続自体が終焉に近づいていると、警鐘を鳴らす。その中で、理想や希望を語ることができるであろうか、まして幸福など。

近代の夢はすべて幻想として消え果て、人類の未来などもうどうでもよく、ただポスト近代の、刹那主義と力だけがすべての世界が、唯一の残された可能性なのだろうか。弱肉強食の世界で、弱者はただ食われてしまうのを待つしかないのだろうか。そんな未来しか描けないとすれば、それはあまりに辛過ぎる。

だが、私たちは本当に近代の切り札をすべて使いきってしまったのだろうか。それは改めて考え直してもよいことだ。そもそも私たちが「近代」として思い込んでいたものが、近代の唯一の道だったのであろうか。日本は、ひたすら西欧（アメリカを含む）を唯一の近代として、それをマネし、追いつくことだけを目指して進んできた。そして、西欧の植民地主義までマネして、アジアの盟主を気取った。それに敗れた後も屈することなく、モノマネ精神だけはたくましく、「先進国」の仲間入りをして、アジアを見下した。

しかし、それだけが近代のあり方だったのであろうか。じつは近代オリンピックや万国博覧会のはじまった十九世紀末は、大きな歴史の転換点であった。近代資本主義の膨張の果ての帝国主義の進出は、西欧近代のグローバル化をもたらしたが、非西欧地域の植民地化は、今度は非西欧的なるものの西欧への流入という逆転現象を生ずることになった。一八九三年のシカゴ万博の際に開催された万国宗教会議では、インドのヴィヴェーカーナンダの「世界の宗教は一つ」の主張が喝采を浴びた。それ以前からインド・チベットの神秘の智慧を謳い文句にした神智学は、欧米で大きなブームとなっていた。それ故、この頃からの近代の精神文化、とりわけ霊性論（スピリチュアリズム）の系譜は純粋に西欧的なものとは言えず、少なくともその一部に、東西融合的なハイブリッドな性格を抱え込むことになっていた。

ところで、ここで問題にしたいのは、十九世紀末から二十世紀はじめにかけて起こった平和主義・非暴力主義もまた、このようなハイブリッドな霊性論と関係が深かったことである。その中でも、とりわけロシアのトルストイと、イギリスで教育を受けたインドのガンディーという二人の西欧周縁の思想家が大きな役割を果たすことになった。そこでは、西欧近代の中で形成されたカントの啓蒙主義的な永遠平和論を受け取りながらも、それとは異なり、必ずしも西欧的キリスト教の伝統だけにつながるものではない、グローバルな平和論が展開されることになった。それはロマン・ロランらによって西欧社会にも受け入れられ、やがて国際連盟・国際連合の成立にも影響することになった。

ここで、ユネスコ憲章前文に目をやることは無意味ではない。そこでは、「戦争は人の心の中で生まれるものであるから、人の心の中に平和のとりでを築かなければならない」と宣言されていた。これはきわめて重要な提言である。第一に、はっきりと唯物論に帰着する近代的合理主義を否定して、「心」に問題を帰着させている。第二に、その心によって戦争も平和も起こされるのであり、心は善悪両方を含むものと見られている。これは心を単純化し、不可分の実体とすることを否定するものである。心は善悪のどちらにも振動する。悪は決して欠如ではない。心あるいは魂という実体が、善あるいは悪という属性を持つというのでもない。心そのものが流動するのであり、一義的な固定化は成り立たない。だから、それを善のほうに振り向けなければならないのである。

世界が多様な国家や文化からなるというのは当然だが、一つの国家や文化もまたその中に多様性を含み、単一化することはできない。それればかりではない。それを構成する個人もまた、人格として統一されていると思い込まれているが、じつは善悪両方に流動的なものであって、一義的な固定化は成り立たない。あたかも物理学の世界で最小単位と思われていた原子の中に原子核と電子があり、さらに素粒子に解体していくのとも相似している。個を動かしがたい最終単位として社会を考えていく、西洋近代の理性主義は崩壊している。

それでは、このユネスコ憲章に適合する理論は何であろうか。私の知る範囲では、天台の十界互具《じっかいごぐ》説がもっとも適切なモデルを提供する。その理論によれば、十界（地獄・餓鬼・畜生・修羅・人・天・声聞・縁覚・菩薩・仏）のいずれかの姿をとって現象しているとしても、その現象した心はまた、その中に十界を含むという重層構造を持っているというのである。人はたまたま人として現象しているが、地獄から仏までの多様性を孕むのであり、一義的に決まらない。私という個人は、じつは人格として統一されているものではなく、多様な可能性が何とか無理やり紐で括られているだけであり、いつバラバラになってもおかしくないし、自分でも統御できない、思いもよらない激情がいきなり噴出するかもしれない。

もちろん十界の「十」というのは確定的な要素を示すものではなく、多様性を仮に表示したものであり、十界互具説をさらに展開した一念三千説は、その多様性の複合的なあり方が、さらに重層的に複合していることを示している。

それでは個は多様性の中に解体されて、収拾がつかないことになってしまうのではないか。その通りである。だからこそ、ユネスコ憲章は心の中に戦争も生ずるとして、そこに平和のとりでを築く必要を訴えるのである。放置すればどのようになるか分からない心を、悪を抑え、善なる方向に向けて秩序だて、その方向を堅持していくことが必要とされるのである。

その際、善と悪は、他者との関わりの中で形成されることを忘れてはならない。個は個として自立してあるものではない。その流動性は他者との関係をどう築くかということをめぐって、方向づけられていく。憎悪と暴力の方向に向かうかもしれないからこそ、それを友愛と平和の方向に向ける努力が必要になる。このように他者との関わりをプラスの方向に向けて実践するあり方を、仏教では菩薩という。菩薩というのは固定した個の状態ではなく、多様化してバラバラになる私を積極的に他者に向けて方向づけていく、その方向づけのことである。それは性質ではなく、運動である。だからこそ、それがまた他者を同調させ、その輪の広がっていくことが可能なのである。

近代的な理性主義、合理主義の世界観は崩壊した。しかし、そのことは必ずしもすべてがバラバラになり、カルト化して対立する方向にいくということを意味しない。それとは異なり、個が開かれ、国や社会が開かれていく別の可能性もある。ユネスコ憲章の心の理解には、その可能性が示されている。

ユネスコ憲章はまた、こう述べている。

　政府の政治的及び経済的取り決めのみに基づく平和は、世界の諸人民の、一致した、しかも永続する誠実な支持を確保できる平和ではない。よって、平和が失われないためには、人類の知的及び精神的連帯の上に築かなければならない。

政治や軍事だけで世界が造られるのではない。そこを超えた、「人類の知的及び精神的連帯」こそが本当の平和をもたらす。宗教を含めたさまざまな分野の文化こそが、本当の連帯を造るのである。政治家や軍人に任せていてはいけない。人間のもっとも奥深い領域にまで降り立ち、その暗部をも見つめることのできる宗教者、哲学者こそが先頭に立たなければならないのである。

二　日本国憲法を問い直す

じつはこの流れの上に、日本国憲法が位置づけられるのではないか、というのが私の仮説である。日本国憲法というと、ただちに第九条が問題にされ、押しつけ憲法論から憲法改正論へと道筋がつけられつつある。私は積極的に護憲論に立つわけではないが、保守派が言うような形での改憲には反対である。本当に必要ならば改正しなければならないが、果たしてつぎはぎ的に部分的に修正するのが適当かどうか、という疑問を感じるのである。

そもそも憲法の理念は冒頭の前文に述べられ、それを本文の各条項で具体化していくという構成になっている。前文と条項とがずれて矛盾することになれば、いったいこの国は何を目指しているのか、訳のわからないことになる。それは絶対に避けなければいけない。

そこで日本国憲法の前文であるが、なかなか魅力的な文章である。その前半で主権在民の原理が述べられ、後半で平和主義が謳われる。後半を一部略して引いてみる。

> 日本国民は、恒久の平和を念願し、人間相互の関係を支配する崇高な理想を深く自覚するのであつて、平和を愛する諸国民の公正と信義を信頼して、われらの安全と生存を保持しようと決意した。……われらは、いずれの国家も、自国のことのみに専念して他国を無視してはならないのであつて、政治道徳の法則は、普遍的なものであり、この法則に従うことは、自国の主権を維持し、他国と対等関係に立たうとする各国の責務であると信ずる。

ここを読むと、一国の憲法であるのに、「いずれの国家も」とか、「各国の責務」などと言われ、あたかも国際機関の宣言のようである。対比上、明治憲法を見てみると、そこではまず神々へ向けての告文と臣民に与える勅語があり、それから前文・本文に入る。つまり神々に献げられた宗教的文書であり、それを臣民に知らせるという手続きがとられている。その前文では、「朕祖宗ノ遺烈ヲ承ケ万世一系ノ帝位ヲ践ミ」と、あくまでも過去から今につながる「万世一系」という、日本独自の縦の時間の流れの中に憲法を位置づけている。このように、明治憲法があくまでも一国の時間軸の上に憲法を位置づけるのに対して、日本国憲法の前文は徹底的に、空間的に世界に広がっていくので、逆に「日本」という特殊性がどこにも見えず、どこの国の憲法であってもよいような文章になっている。

そんなわけで、「日本」の憲法として適切かどうかは分からないが、この前文の思想は、十九世紀末以来のハイブリッドな霊性論的平和主義の流れにつながるのではないかと思われる。とりわけユネスコ憲章の前文とは近似性がある。詳細には立ち入らないが、「戦争は人の心の中で生まれるものであるから、人の心の中に平和のとりでを築かなければならない」で始まるユネスコ憲章と日本国憲法前文には表現上の類似もあり、影響を受けているように思われる。そうとすれば、憲法前文も十九世紀末以来の霊性論の系統と無関係ではないことになる。

このように見てくると、日本国憲法は単純な押しつけや政治的策略だけによるものとは言えず、近代のハイブリッドな霊性論を背景に持つものと考えられる。奇妙なことに、それは日本の近代が必死になって追いつこうとしてきた西欧型の近代といささか異なる系譜に立つものである。それだけに、これまでそのような見方の可能性は見逃されてきた。改めて日本国憲法の従来とは異なる読み方を検討して、そこから生まれる精神世界の可能性を考えていくならば、従来、政治だけの次元で考えられてきた人間の問題に、じつは霊性や宗教が深く関わっていることが明らかになる。それは、全体性をもって人間を捉えていくことであり、それによってはじめて個の中に閉鎖されず、他者に開かれた人間の幸福の可能性が見えてくる。それは単純にポスト近代へと流れ込まない、別の道を指示するだろう。

ただし、ユネスコ憲章前文が、平和だけでなく、戦争もまた心の中に生まれることを冷徹に認め、だからこそ心の中に平和のとりでを築く必要を言うのに対して、憲法前文はその悪の可能性には言及せず、あまりに楽観的である。隣国を信じきって能天気に丸腰の裸で飛び出すようなものである。第九条の戦争放棄がこのような人間認識に基づいているとしたら、それはいささかまずいのではないか。

このような憲法前文の思想についてしっかりと議論し、それをよりよい方向に向け、同時にそれを日本の伝統の中に根づかせるようにしていくために、憲法を見直そうというのであれば、それは決して拒否されるべきものではない。現憲法は、突貫工事のように短期間で造り上げられ、随所にボロがあるのは事実である。この前文にしても、それが日本の伝統をどのように受け止めているのか、まったく見えてこない。このままでよいのか、きちんと考える必要がある。

憲法に関して、積極的に改憲案を出しているのは自由民主党だけである。しかし、自民党案は現行憲法と明治憲法との折衷であり、そのままで未来へ向けての新しい指針となるとは思われない。まして、前文の根本精神に蓋をして、一部の条項だけをご都合主義的に変えるというのは奇妙である。それに対する護憲派は、単に第九条を守れというだけで、硬直したスローガンを振り回すだけに過ぎない。その二項対立のどちらかしか道はないのだろうか。

現行憲法は、あと少しで百年生き続けてきたことになる。明治憲法が継続したのは約五十年だったから、その倍になる。たしかに日本の歴史を振り返ると、律令は形式化しつつも千年以上続いた。その間、律令自体を変更するのではなく、別に格式を制定して対応し、やがて儀礼は有職故実として継承され、それとは別に武家政権の法が造られた。無理に一元化した原理を立てて杓子定規に適用するのではなく、原則は原則としておきながら、そのときそのときで臨機応変に対応していくのが、日本式と言えるかもしれない。

しかし、あらゆる面での危機状況が続き、ますます深刻化していくことを考えると、政治と科学、そして宗教・霊性などの精神文化とがばらばらで対応できるとは思えない。ポスト近代の無責任で目先だけの自己中心主義になだれ込むのではなく、その先の百年を見越した方針をしっかりと立てる必要があるのではないか。百年先が衰退と崩壊ではなく、希望と幸福に満ちた時代となるように、きちんとした原理を確立して、実践していかなければならないのではないか。その統合的な原理を憲法として、誰にも見える形で提示することは、きわめて重要なことではないだろうか。

百年先を見越した憲法をどう決めればよいのか。一つ提案してみよう。現行憲法が制定百年を迎えるまでに、あと約四分の一世紀ある。その間を、あらゆる分野の専門家、そして一般社会の人々が十分に意見を出しあい、議論する期間として、その結果を最終的にまとめていくというのではどうだろうか。つまらない政治的な対立で角突きあって、貴重な残り時間を浪費してはいけない。今が、日本が、そして世界が立ち直り、未来の幸福を目指しうる最後の機会だということを、十分に自覚しなければならない。

幸福は、自分だけに閉ざされた中で得られるものではない。かつまた、今ここでの刹那にあるのでもない。他者との関わりは、目に見える他者だけに限られない。過去の死者たちが果たしてきたことをどう受け継ぎ、未来のいまだ生まれざる者たちにどうつなげていったらよいのか。百年後の人々の幸福が、逆転して今の私たちの幸福を生み出すことになるのである。

三　霊性国家の可能性

最後に、それならば私自身は、未来の日本の可能性をどのように考えるか、その私見に少しだけ触れておきたい。

鈴木大拙の霊性論というと、『日本的霊性』（一九四四年）があまりに有名で、それだけに焦点が当てられる。それは第二次大戦末期に書かれた記念碑的な作品であることは間違いない。しかし、大拙の霊性論はそれで終わっていない。戦後、『霊性的日本の建設』（一九四六年）、『日本の霊性化』（一九七四年）と矢継ぎ早に続編を刊行し、いわば「霊性三部作」とも言うべきものを形成している。ところが、『日本的霊性』の令名に較べて、戦後の二著はほとんど顧みられることがなく、埋没したまま今日に至っている。しかし、それらはそれほど価値のないものであろうか。

『日本的霊性』は、過去の日本に「日本的霊性」とも言うべきものがあったとして、それを顕彰するのであるが、後の二著はその書名から知られるように、日本が霊性化しておらず、これから霊性化しなければいけないという主張に貫かれている。過去には日本的な霊性と言えるものもあったが、今はそれが忘れられている。改めて過去を見直して、霊性的な日本を築かなければならないというのである。

じつは、この二著には、読むと何とも後味の悪いところがある。戦争の原因を神道に押し付けて悪しざまに言い、本当は禅をはじめとする仏教にも大きな責任があったはずなのに、それには口を閉ざして、仏教賛美をするようなところは、あまりにご都合主義的な能天気な態度とも言えて、まともな評価を得なかったのも無理はない。それどころか、『日本の霊性化』では、アメリカこそ霊性国家であって、それを真似すべきだというような議論も見られて、戦後のアメリカ追随の風潮そのもののようなところも見られる。そうではあるが、今日見直すときに、日本がいまこそ霊性化しなければならない、という大拙の切実な呼びかけは、案外再評価してよいところがあるのではないかと思われる。

それでは、「霊性」とは何であろうか。大拙は端的に知性を超えることだという。知性はあらゆるものを二分化し、対立する構造で認識をはたらかせる。私の言い方を使えば、公共的な「顕」の世界である。しかし、じつはそのようなに分化した認識構造が成り立たない世界がある。それが「霊性」である。私の言い方では、他者の「冥」の領域に当たる。

それほど難しい哲学や宗教の議論に入らなくてもいい。ごく日常的にも、白か黒か、肯定か否定か、真か偽かの二分化が成り立たないような事例はいくらでもある。無理に白黒をつけずに、曖昧にしておくほうがよいことも少なくない。いわゆる玉虫色で、お互いが対立したとき、互いに傷つかない知恵というものも、けっこう大事だろう。そのようなレベルで考えても、知性ですべてを割り切ることができないことは明らかだし、実際私たちの生活はそのような曖昧さを多分に含むことで成立している。

もっともこのような曖昧さが霊性なのかと言うと、それは少し違いそうだ。霊性は知性では割り切れず、知性を基礎づけるさらに根底の智慧と言ってもよい。表面的な対立構造を超え、その底にはそのような対立を無化するような世界があり得るのではないだろうか。

先のユネスコ憲章前文では、「政府の政治的及び経済的取り決めのみに基づく平和は、世界の諸人民の、一致した、しかも永続する誠実な支持を確保できる平和ではない」として、「人類の知的及び精神的連帯」を訴えた。これだと、知性は「知的」なものとして、「精神的」なものと一緒に考えられているように見えるが、大拙の定義を考えると、むしろ「政治的及び経済的取り決め」こそ、二元化に基づく知性の領域と言うことになろう。知性に基づく実利の追求ではなく、もっと高い精神的な理想を掲げて、対立を乗り越えようということではないだろうか。実利的な追求に対する精神文化の優位と言ってもよい。

実利追求＝政治・経済＝二項対立構造＝知性
理想探求＝精神文化＝対立構造の無化＝霊性

大拙はこのような霊性的な国家のあり方のモデルを、華厳の事事無礙法界《じじむげほっかい》に求めた。万物が万物と調和し、反響しあう世界である。それは、しばしば天帝インドラの宮殿に張り巡らされた網の目の無数の宝石が、相互に反映しあい、美しく輝くこと（因陀羅網《いんだらもう》）に譬えられる。

もちろん、そんなにうまくはいくわけもなく、あまりに甘い単なる空想だと言われるかもしれない。しかし、四弘誓願《しぐせいがん》が無限の時間・空間の中での目標であるとすれば、少なくともそのような理想を持つことはあってもよいのではないだろうか。そうしたとてつもない大きな理想を目指す中で、はじめて具体的な場での方針が立てられてくるのではないだろうか。

理想と希望を棄てない限り、そこにおのずから道は開かれてくるのである。

初出一覧（全体に大幅に加筆修正した）

序　章　新型コロナウイルスと今日の課題『仏教タイムス』二〇二〇年四月一六日号
「悪は悪」なのか――ウクライナ問題に寄せて『未来哲学』五号、二〇二三年
ポスト近代再考――討論後半年を経て『未来哲学』五号、二〇二三年

第一章　閉塞からどう開かれるか――「うつ的時代」の生き方『児童心理』九一四号、金子書房、二〇一〇年

第二章　告発し、和解する死者
ある共同研究の報告論集用に二〇一八年に執筆したが、そのまま出版されなかったもの。

第三章　終末論と希望　村上陽一郎編『コロナ後の世界を生きる』岩波新書、二〇二〇年

間奏の章『世界哲学史』以後の哲学『未来哲学』四号、二〇二二年

第四章　宗教に基づく倫理の確立――日本宗教のこれまでとこれから『京都・宗教論集』一一号、京都宗教系大学連合会、二〇一七年

第五章　いま日本で哲学すること――試みとしての〈冥顕の哲学〉『アルケー二〇二〇』関西哲学会年報、二〇二〇年

第六章　脱近代と菩薩の倫理学『サンガジャパン』三一号、サンガ、二〇一九年

終　章　百年後の幸福　『サンガジャパンプラス』一号、サンガ新社、二〇二二年

あとがき

二〇一九年に、友人たちと未来哲学研究所を立ち上げ、翌年には雑誌『未来哲学』を創刊した（年二回刊行）。私の手にある仕事であったが、多くの方々のお力添えで、不十分ながらも、研究者のたまり場と発信の場としての役割はある程度果たしてきたかと思う。その大きなテーマは、西洋近代の哲学の崩壊の後で、どのような思想・哲学の可能性があるかということであった。本書は、その問題に対する私なりのひとまずの試みのスケッチである。旧稿に基づいているところも多く、中にはずいぶん古いものもあるが、今の私の観点から全面的に手を入れて書き改めたので、ほぼ書き下ろしに近いものになっている。

第五、六章は私の哲学の核心となるところであるが、旧著『冥顕の哲学1　死者と菩薩の倫理学』（ぷねうま舎、二〇一八年）、『冥顕の哲学2　いま日本から興す哲学』（同、二〇一九年）、『死者と霊性の哲学』（朝日新書、二〇二二年）などから、それほど大きな発展があるわけではない。ただ、それらに対していただいた批判への応答を組み込み、現代の状況から改めて考え直した。また、終章には、多少これまでの拙著にはない新しい私見を加えた。本書の構成に関しては、ぷねうま舎の中川和夫氏から貴重なご助言をいただき、それに従った。

本書のきっかけの一つは、畏友佐伯啓思氏との議論にある。氏の著作『近代の虚妄』（東洋経済新報社、二〇二〇年）は、西洋近代の思想の帰結をニヒリズムに見、それに対抗するものとして、西田哲学の「無」を持ち出す。西洋近代を見る目は的確であるが、それに立ち向かう思想という面が弱いように思われた。近代の終焉の後で、ニヒリズムと絶望に終わらない、別の可能性があるのではないか。そこに希望としての哲学が考えられるのではないか。そんな思いが本書を貫いている。

本年二月五日、井上克人氏（関西大学名誉教授）が急逝された。哲学と日本思想とを結びつけるという志を同じくし、ともすれば挫けそうになる私をいつも励ましてくれた。本書に対する氏の批評をうかがえないのが、何よりも悲しい。

二〇二三年四月

著　者

末木文美士

1949年生まれ．1973年，東京大学文学部印度哲学専修課程卒業．1978年，同大学院人文科学研究科博士課程単位取得退学．東京大学文学部・人文社会系研究科教授を経て，国際日本文化研究センター教授，総合研究大学院大学文化科学研究科国際日本研究専攻教授併任．現在，東京大学，総合研究大学院大学名誉教授．

著書：『草木成仏の思想――安然と日本人の自然観』（サンガ，2015），『思想としての近代仏教』（中公選書，17），『冥顕の哲学1 死者と菩薩の倫理学』（ぷねうま舎，18），『冥顕の哲学2 いま日本から興す哲学』（ぷねうま舎，19），『日本思想史』（岩波新書，20），『死者と霊性の哲学』（朝日新書，22），『禅の中世――仏教史の再構築』（臨川書店，22）ほか多数．

絶望でなく希望を――明日を生きるための哲学

2023年5月25日　第1刷発行

著　者　末木文美士《すえきふみひこ》

発行所　未来哲学研究所
https://miraitetsugaku.com

発売所　株式会社ぷねうま舎
〒162-0805
東京都新宿区矢来町122　第二矢来ビル3F
電話 03-5228-5842　ファックス 03-5228-5843
http://www.pneumasha.com

印刷・製本　中央精版印刷株式会社

©Fumihiko Sueki, 2023
ISBN 978-4-910154-44-2　Printed in Japan

冥顕の哲学1 死者と菩薩の倫理学　末木文美士　四六判・二八二頁　本体二六〇〇円

冥顕の哲学2 いま日本から興す哲学　末木文美士　四六判・三三六頁　本体二八〇〇円

てってい的にキルケゴール その一 絶望ってなんだ　中島義道　四六判・二五六頁　本体二四〇〇円

てってい的にキルケゴール その二 私が私であることの深淵に　中島義道　四六判・二五六頁　本体二四〇〇円

《未来哲学双書》

東洋哲学序説 井筒俊彦と二重の見　西平 直　四六判・二一四頁　本体二〇〇〇円

東洋哲学序説 西田幾多郎と双面性　西平 直　四六判・二二八頁　本体二三〇〇円

仏教哲学序説　護山真也　四六判・二八〇頁　本体二四〇〇円

無駄な死など、どこにもない ――パンデミックと向きあう哲学――　山内志朗　四六判・二五六頁　本体一八〇〇円

〈世界知〉の劇場 ――キルヒャーからゲーテまで――　坂本貴志　四六判・三四二頁　本体一八〇〇円

ぷねうま舎

表示の本体価格に消費税が加算されます

2023年５月現在